Deborah Ellis

Die Sonne im Gesicht

D0306307

cbj

Matthias Reich 6a

USBEKISTAN
KIRGISIEN
TURKMENISTAN
CHINA
TADSCHIKISTAN
Wachan Korridor
Mazar-e-Sharif
Kunduz
JAMMU & KASCHMIR
AFGHANISTAN
Jalalabad
Kabul
IRAN
Kandahar
Registan Wüste
NEPAL
PAKISTAN
GOLF VON OMAN
INDIEN
OMAN
ARABISCHES MEER

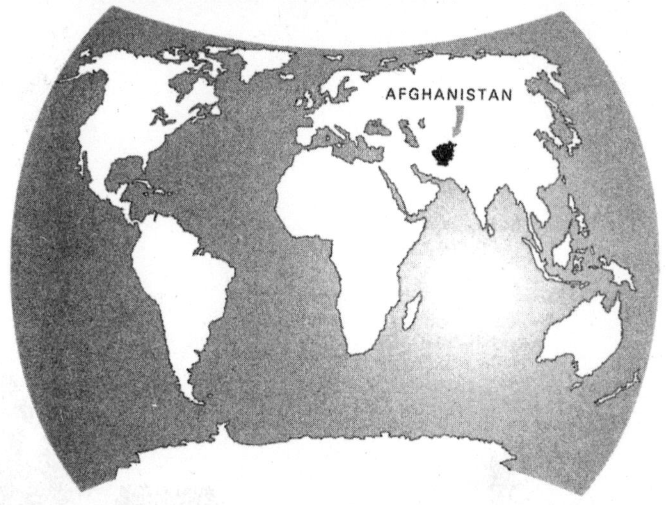
AFGHANISTAN

Foto: © Susan Horley

DIE AUTORIN

Deborah Ellis ist Schriftstellerin und Psychotherapeutin in Toronto, wo sie die Organisation »Frauen für Frauen in Afghanistan« gründete. 1999 verbrachte sie viele Monate in afghanischen Flüchtlingslagern in Pakistan und führte Interviews. Die Erzählungen afghanischer Frauen und Mädchen bilden die Grundlage für diesen Roman. Sämtliche Tantiemen aus »Die Sonne im Gesicht« und gehen an afghanische Flüchtlingscamps in Pakistan, wo sie für den Unterricht und die Ausbildung von Mädchen verwendet werden.

Deborah Ellis

Die Sonne im Gesicht

Aus dem kanadischen Englisch
von Anna Melach

cbj

cbj
ist der Taschenbuchverlag für Kinder
in der Verlagsgruppe Random House

Verlagsgruppe Random House FSC-DEU-0100
Das für dieses Buch verwendete
FSC-zertifizierte Papier *München Super Extra*
liefert Arctic Paper Mochenwangen GmbH.

7. Auflage
Erstmals als cbj Taschenbuch April 2003
Gesetzt nach den Regeln der Rechtschreibreform
© 2001 für die deutschsprachige Ausgabe
Verlag Jungbrunnen, Wien
© 2000 der Originalausgabe Deborah Ellis
Alle Rechte dieser Ausgabe vorbehalten durch
cbj München
Die Originalausgabe erschien unter dem Titel
»The Breadwinner« bei
Groundwood Books/Douglas & McIntyre.
Übersetzung: Anna Melach
Umschlagfoto: Steve McCurry/Magnum
Umschlagkonzeption: Atelier Langenfass, Ismaning
Ht · Herstellung: Peter Papenbrok
Satz: Uhl + Massopust, Aalen
Druck und Bindung: GGP Media GmbH, Pößneck
ISBN 978-3-570-21214-1
Printed in Germany

www.cbj-verlag.de

1. Kapitel

»Ich kann diesen Brief genauso gut lesen wie Vater«, flüsterte Parvana in die Falten ihres Tschadors. »Zumindest fast so gut.« Sie wagte nicht, diese Worte laut auszusprechen. Der Mann, der neben ihrem Vater saß, wollte ihre Stimme gewiss nicht hören. Keiner auf dem großen Markt von Kabul wollte ihre Stimme hören. Denn Parvana war nur deshalb hier, weil sie ihrem Vater dabei helfen musste, zum Markt zu kommen und nach der Arbeit wieder zurück nach Hause. Sie saß gut verborgen auf ihrer Decke. Ihr Kopf und der Großteil ihres Gesichtes waren von ihrem Tschador bedeckt.

Eigentlich sollte Parvana überhaupt nicht auf der Straße sein. Die Taliban hatten befohlen, dass alle Mädchen und Frauen in Afghanistan in ihren Häusern bleiben sollten. Sie hatten den Mädchen sogar verboten, zur Schule zu gehen. Parvana hatte die sechste Klasse Grundschule verlassen müssen und ihre Schwester Nooria durfte nicht mehr in die Mittelschule gehen. Ihre Mutter, die bei einem der Radiosender von Kabul als Journalistin gearbeitet hatte, war von einem Tag zum anderen entlassen worden. Seit über einem Jahr waren sie nun mit der fünfjährigen Maryam und dem zweijährigen Ali alle zusammen in einem einzigen Zimmer gefangen.

Parvana konnte fast jeden Tag für ein paar Stunden ins Freie, weil sie ihren Vater beim Gehen stützen musste. Sie war immer froh hinauszukommen, auch wenn das hieß, dass sie dann viele Stunden auf einer Decke auf dem harten Boden des Marktes sitzen musste. Sie hatte sich sogar daran gewöhnt, den Mund zu halten, ganz still zu sitzen und ihr Gesicht zu verstecken.

Für ihre elf Jahre war Parvana sehr klein. Und als kleines Mädchen konnte sie sich normalerweise auf der Straße aufhalten, ohne dass die Taliban unangenehme Fragen stellten.

»Ich brauche das Mädchen, damit sie mich beim Gehen stützt«, sagte der Vater jedem Soldaten, der wissen wollte, was Parvana auf der Straße verloren hatte. Und er zeigte dann auf sein Bein. Der Vater hatte einen Fuß verloren, als die Mittelschule, an der er unterrichtet hatte, von einer Bombe getroffen worden war. Er hatte damals auch innere Verletzungen davongetragen und war nun oft sehr müde.

»Und ich habe keinen Sohn zu Hause, der mir helfen kann, nur ein Kleinkind«, erklärte der Vater.

Parvana duckte sich dann noch mehr zusammen und versuchte, noch kleiner auszusehen. Sie hatte Angst, den Soldaten aufzufallen. Sie hatte schon oft mit angesehen, wie sie Menschen, besonders Frauen, behandelten. Sie schlugen und peitschten alle aus, die ihrer Meinung nach aus irgendeinem Grund eine Strafe verdienten.

Wenn Parvana so Tag für Tag auf dem Markt saß, konnte sie eine Menge sehen. Aber wenn Soldaten der Taliban in der Nähe waren, hätte sie sich am liebsten unsichtbar gemacht.

Nun bat der Kunde den Vater, den Brief noch einmal vorzulesen. »Lies langsam«, sagte er, »damit ich es mir merken und meiner Familie berichten kann.«

Parvana hätte auch gerne einen Brief bekommen. Seit kurzem funktionierte in Afghanistan wieder die Post, nachdem sie durch den Krieg jahrelang gestört gewesen war. Viele von Parvanas Freundinnen waren mit ihren Familien aus Afghanistan geflohen. Vermutlich nach Pakistan, aber Parvana wusste nichts Genaueres, deshalb konnte sie ihnen auch nicht schreiben. Sie selbst war mit ihrer Familie wegen der Bomben so oft umgezogen, dass ihre Freundinnen nicht mehr wussten, wo sie nun wohnte.

»Afghanen sind über die ganze Erde verstreut, wie Sterne über den Himmel«, sagte ihr Vater oft.

Der Vater hatte den Brief ein zweites Mal vorgelesen. Der Kunde dankte ihm und bezahlte. »Ich werde wieder kommen, wenn es Zeit ist, eine Antwort zu schreiben«, sagte er.

Die meisten Menschen in Afghanistan konnten nicht lesen und schreiben. Parvana war eine der wenigen Glücklichen, die es gelernt hatten. Ihre Eltern waren beide auf der Universität gewesen und glaubten an die Wichtigkeit der Bildung für alle, auch für Mädchen.

Der Nachmittag ging weiter. Kunden kamen und gingen. Die meisten sprachen Dari, die Sprache, die auch Parvana am besten beherrschte. Wenn ein Kunde Pashtu sprach, konnte sie das meiste verstehen, aber nicht alles. Parvanas Eltern sprachen auch Englisch. Der Vater war in England auf der Universität gewesen. Das war sehr lange her.

Auf dem Markt ging es lebhaft zu. Männer kauften für ihre Familien ein, fliegende Händler boten ihre Waren und Dienste an. Manche Händler hatten feste Plätze; die Teestände zum Beispiel. Mit dem großen Teekessel und den vielen Tabletts voller Teegläser konnte man nicht herumwandern. Deshalb gab es viele Teejungen, die mit einem Tablett voll Teegläsern in dem Labyrinth des Marktes herumliefen und den Händlern Tee brachten, die ihre eigenen Läden nicht verlassen konnten. Dann rannten sie mit den leeren Gläsern wieder zurück.

»Das könnte ich auch tun«, murmelte Parvana. Sie wäre so gerne auf dem Markt herumgewandert, hätte die engen, verwinkelten Gässchen kennen gelernt, so gut, wie sie die vier Wände ihres eigenen Zuhauses kannte.

Der Vater wandte sich nach ihr um. »Ich würde dich lieber auf einem Schulhof herumlaufen sehen als hier!« Dann wandte er sich wieder um und rief den vorübergehenden Männern zu: »Haben Sie etwas vorzulesen? Haben Sie etwas zu schreiben? Pashtu und Dari! Wunderschöne Sachen zu verkaufen!«

Parvana runzelte die Stirn. Es war doch nicht ihre Schuld, dass sie nicht mehr zur Schule gehen durfte! Sie wäre viel lieber in einem Klassenraum gesessen als hier auf der unbequemen Matte, wo ihr der Rücken und der Po wehtaten. Parvana vermisste ihre Freundinnen, ihre blau-weiße Schuluniform und die vielen neuen Dinge, die sie jeden Tag gelernt hatten.

Ihr Lieblingsfach war Geschichte, vor allem die Geschichte Afghanistans. Viele Völker hatten Afghanistan zu erobern versucht. Vor viertausend Jahren waren die Perser gekommen. Dann kam Alexander der Große, danach kamen die Griechen, die Araber, die Türken, die Briten und schließlich die Sowjets. Einer der Eroberer, Tamerlan von Samarkand, hieb die Köpfe seiner Feinde ab und stapelte sie in großen Haufen auf wie Melonen auf einem Obststand. Alle diese Leute waren in Parvanas wunderschönes Land gekommen, um es zu erobern, aber die Afghanen hatten sie alle hinausgeworfen! Aber jetzt wurde das Land von den Taliban-Milizen regiert. Die Taliban waren Afghanen, und sie hatten sehr bestimmende, eindeutige Vorstellungen, wie die Dinge laufen sollten. Als sie die Hauptstadt Kabul erobert hatten und allen Mädchen verboten, zur Schule zu gehen, war Parvana im ersten Moment nicht allzu traurig gewesen. Ihr drohte gerade eine Mathematikschularbeit, für die sie nichts gelernt hatte, und außerdem hatte sie wieder einmal Schwierigkeiten, weil sie während der Stunde ständig schwätzte. Der Lehrer hatte einen Beschwerdebrief an ihre Mutter schicken wollen, aber die Taliban waren zuvorgekommen.

»Warum heulst du denn?«, hatte Parvana ihre Schwester Nooria gefragt, die nicht aufhören konnte zu weinen. »Ein oder zwei Ferientage, das ist doch super!« Parvana war überzeugt gewesen, die Taliban würden sie ein paar Tage später wieder zur Schule gehen lassen. Und bis dahin hatte der Lehrer die ärgerliche Mitteilung wegen ihrer Schwätzerei sicher vergessen.

»Sei doch nicht so blöd!«, schrie Nooria sie an. »Lass mich in Ruhe!«

Eine der Schwierigkeiten, wenn man mit der ganzen Familie in einem Zimmer wohnt, besteht darin, dass man unmöglich jemanden in Ruhe lassen kann. Wo Nooria war, da war auch Parvana, und wo Parvana war, da war Nooria.

Parvanas Eltern kamen aus angesehenen afghanischen Familien. Wegen ihrer guten Ausbildung hatten sie in ihren Berufen viel Geld verdient. Sie hatten in einem großen Haus mit einem Innenhof gewohnt, mit Dienstpersonal, einem Fernsehapparat, einem Kühlschrank, einem Auto. Nooria hatte sogar ein eigenes Zimmer gehabt. Parvana teilte ihres mit ihrer kleinen Schwester Maryam. Maryam plapperte zwar ununterbrochen, aber sie und Parvana liebten einander von ganzem Herzen. Und es war herrlich gewesen, Nooria ausweichen zu können. Das Haus war von einer Bombe zerstört worden. Die Familie war seither immer wieder umgezogen, jedes Mal in eine kleinere Wohnung. Und jedes Mal wenn wieder ein Haus, in dem sie gerade wohnten, von einer Bombe getroffen wurde, verloren sie mehr von ihren Sachen. Mit jeder Bombe wurden sie ärmer. Und jetzt lebten sie alle zusammen in einem einzigen Zimmer.

In Afghanistan herrschte seit mehr als zwanzig Jahren Krieg. Das war doppelt so lang, wie Parvana auf der Welt war.

Zuerst hatten die Sowjets mit ihren großen Panzern das Land überrollt und mit Kriegsflugzeugen das Land überflogen und Bomben auf Dörfer und Felder abgeworfen.

Parvana war einen Monat vor dem Abzug der Sowjets geboren. »Du warst ein so hässliches Baby, dass die Sowjets es nicht ertragen konnten, mit dir im selben Land zu sein«, spottete

Nooria immer wieder. »Sie sind vor Schreck über die Grenze in ihr eigenes Land geflohen, so schnell sie ihre Panzer tragen konnten.«

Nachdem die Sowjets weg waren, wollten die Männer, die zuvor auf die Sowjets geschossen hatten, weiterhin auf Menschen schießen, und daher schossen sie aufeinander. Viele Bomben fielen damals auf Kabul. Viele Menschen starben.

Bomben waren immer ein Teil von Parvanas Leben gewesen. Jeden Tag, jede Nacht fielen Bomben und Raketen vom Himmel und irgendjemandes Haus explodierte.

Und wenn die Bomben fielen, rannten die Menschen. Sie rannten zuerst hierhin, dann rannten sie dorthin, auf der Suche nach einem Platz, wo sie vor den Bomben sicher waren. Als Parvana noch klein war, wurde sie getragen. Als sie größer wurde, musste sie selber rennen.

Nun wurde ein Großteil des Landes von den Taliban kontrolliert. Das Wort Taliban heißt eigentlich: »religiöser Gelehrter«. Parvanas Vater erklärte ihr, Religion sei dazu da, den Menschen zu helfen, menschlicher, freundlicher und glücklicher zu werden. »Aber die Taliban machen Afghanistan nicht zu einem Land, in dem man glücklich und menschenwürdig leben kann«, sagte der Vater.

Es fielen immer noch Bomben auf Kabul, aber nicht mehr so häufig wie vorher. Im Norden des Landes war immer noch Krieg und dort wurden derzeit auch die meisten Menschen umgebracht.

Einige weitere Kunden waren gekommen und wieder gegangen, und Vater schlug vor, für heute mit der Arbeit aufzuhören. Parvana sprang auf und knickte sofort wieder zusammen. Ihr Bein war eingeschlafen. Sie rieb es und versuchte dann noch einmal aufzutreten. Diesmal blieb sie stehen.

Zuerst sammelte sie all die kleinen Dinge ein, die sie zu verkaufen versuchten, Teller, Schüsselchen, kleine Dosen und verschiedene Ziergegenstände aus dem Hausrat, die die Bomben überlebt hatten. Wie viele Afghanen verkauften sie, was sie entbehren konnten. Mutter und Nooria sahen regelmäßig alles durch, was sie noch besaßen, um herauszusuchen, was sie nicht unbedingt brauchten. Es gab so viele Leute in Kabul, die ihre Habseligkeiten verkauften, dass Parvana sich immer wieder wunderte, dass überhaupt jemand übrig geblieben war, der auch etwas kaufte.

Parvana schüttelte die Decke aus und faltete sie zusammen. Der Vater packte Schreibzeug und Papier in die Schultertasche. Er stützte sich auf seinen Stock, nahm Parvanas Arm und stand langsam auf. Sie machten sich auf den Heimweg.

Kleine Entfernungen konnte der Vater allein, nur mit dem Stock, schaffen. Aber für längere Strecken brauchte er Parvana als Stütze.

»Du hast genau die richtige Größe für mich«, sagte er.

»Und wenn ich wachse?«

»Dann wachse ich mit dir!«

Vater hatte eine Beinprothese gehabt, die hatte er aber verkauft. Er hatte sie eigentlich gar nicht verkaufen wollen. Denn Prothesen werden ja extra für eine bestimmte Person angefertigt und das künstliche Bein eines Menschen passt nicht unbedingt einem anderen. Aber als ein Kunde Vaters falsches Bein auf der Decke liegen sah, wollte er es unbedingt haben. Die anderen Dinge sah er gar nicht an. Und er bot Vater einen so guten Preis, dass der sich überreden ließ.

Jetzt gab es sehr viele Beinprothesen auf dem Markt von Kabul zu kaufen. Seit die Taliban befohlen hatten, Frauen müssten zu Hause bleiben, nahmen viele Ehemänner ihren Frauen die Prothesen weg und verkauften sie. »Du gehst ja nicht fort, wozu brauchst du dann ein falsches Bein?«, fragten sie.

Überall in Kabul gab es zerbombte Häuser. Ganze Straßenzüge, in denen es einst Wohnhäuser und Geschäfte gegeben hatte, waren nur mehr Schutt und Staub.

Kabul war früher eine schöne Stadt gewesen. Nooria erinnerte sich noch an unbeschädigte Gehsteige, an Verkehrsampeln, deren Lichter wechselten. Abends waren sie spazieren gegangen oder ins Kino oder sie hatten in eleganten Geschäften nach Kleidern oder Büchern gestöbert.

Den größten Teil von Parvanas Leben bestand die Innenstadt von Kabul nun aus Ruinen und sie konnte sich die Stadt nicht anders vorstellen. Es tat ihr weh zu hören, wie das alte Kabul vor der Bombardierung ausgesehen hatte. Sie wollte gar nicht daran denken, was die Bomben alles zerstört hatten, vor allem Vaters Gesundheit und ihr eigenes schönes Haus. Das machte sie zornig, und weil sie mit ihrem Zorn nirgendwohin konnte, wurde sie traurig.

Parvana und ihr Vater verließen den belebten Markt und gingen eine Straße hinunter zu dem Haus, in dem sie wohnten. Parvana geleitete ihren Vater vorsichtig um tiefe Löcher und Steintrümmer herum, die sich mitten auf der Straße befanden. »Wie können Frauen in ihren Burkas auf diesen Straßen gehen?«, fragte Parvana ihren Vater. »Wie können sie sehen, wo sie hinsteigen?«

»Sie fallen oft«, antwortete der Vater. Er hatte Recht. Parvana hatte oft Frauen stürzen sehen.

Sie blickte die Straße entlang auf ihren Lieblingsberg, der sich majestätisch am Ende der Straße erhob.

»Wie heißt dieser Berg?«, hatte sie einmal ihren Vater gefragt, kurz nachdem sie in diese Gegend gezogen waren.

»Das ist der Mount Parvana.«

»Das stimmt nicht!«, sagte Nooria.

»Du solltest dem Kind nichts Falsches sagen«, meinte die

Mutter. Es war in der Zeit vor den Taliban gewesen. Die ganze Familie war gemeinsam spazieren gegangen. Mutter und Nooria hatten bloß leichte Tücher über ihrem Haar getragen und ihre Gesichter im Sonnenschein baden lassen.

»Berge werden von Menschen benannt«, erklärte der Vater. »Ich bin ein Mensch und ich nenne diesen Berg Mount Parvana.

Die Mutter gab lachend nach. Vater lachte auch, Parvana lachte, und auch die kleine Maryam, die beinahe noch ein Baby war und nicht wusste, warum sie lachte. Sogar die stets mürrische Nooria stimmte ein. Das Lachen der ganzen Familie eilte bis zum Gipfel des Mount Parvana und wieder zurück zur Straße.

Nun aber stiegen Parvana und ihr Vater langsam die Stufen zu ihrer Wohnung hinauf. Sie lebten im fünften Stock eines Wohnblocks. Das Haus war von einer Bombe getroffen und beschädigt worden und eine Hälfte war nur mehr Schutt.

Die Stiegen liefen im Zickzack an der Außenmauer des Hauses hinauf. Auch sie waren teilweise zerstört und manche Stufen waren verschoben. Das Stiegengeländer war nur mehr an einigen Stellen vorhanden. »Stütze dich niemals auf dieses Geländer!«, hatte der Vater Parvana immer wieder eingeschärft. Die Stiegen hinaufzusteigen, war für den Vater einfacher als hinunter, aber sie brauchten trotzdem sehr lange. Endlich erreichten sie die Wohnungstür und traten ein.

2. Kapitel

Mutter und Nooria waren wieder einmal beim Putzen. Der Vater küsste Ali und Maryam, wusch sich im Bad den Staub von Gesicht, Händen und Füßen und streckte sich auf einem Toshak aus, um sich auszuruhen.

Parvana legte ihr Bündel neben die Tür und nahm ihren Tschador ab.

»Wir brauchen Wasser«, sagte Nooria.

»Kann ich mich nicht erst ein bisschen hinsetzen?«, fragte Parvana die Mutter.

»Du wirst besser sitzen, wenn du mit deiner Arbeit fertig bist. Geh jetzt gleich! Der Wassertank ist fast leer.«

Parvana seufzte. Wenn der Tank fast leer war, musste sie fünfmal zum Wasserhahn hinuntergehen. Nein, sechsmal, weil die Mutter es nicht leiden konnte, wenn der Wassereimer leer war.

»Wärst du gestern gegangen, als Mutter dich gebeten hatte, müsstest du heute nicht so viel schleppen«, sagte Nooria spöttisch, als Parvana an ihr vorüberging, um den Kübel zu holen. Nooria lächelte ihr überlegenes Große-Schwester-Lächeln und warf mit einem Schwung ihr langes Haar über die Schultern zurück. Parvana hätte sie ohrfeigen können.

Nooria hatte wunderschönes, dichtes, langes Haar. Parvanas Haar war dünn und strähnig. Sie wünschte sich auch Haare wie die ihrer großen Schwester und Nooria wusste das sehr gut.

Parvana murrte den ganzen Weg vor sich hin, die vielen Stufen hinunter und weiter, den Häuserblock entlang, bis sie schließlich beim gemeinsamen Wasserhahn für die ganze Nachbarschaft angelangt war. Der Rückweg mit dem vollen Eimer war noch schlimmer, vor allem die drei Stockwerke hinauf. Aber die Wut auf Nooria gab ihr Kraft, deshalb schimpfte Parvana den ganzen Weg leise weiter.

»Nooria geht nie Wasser holen, und Mutter auch nicht. Und Maryam auch nicht. Die muss überhaupt nie irgendetwas arbeiten!«

Parvana wusste natürlich, dass sie Unsinn daherredete, aber sie murrte trotzdem weiter. Maryam war erst fünf, sie konnte nicht einmal den leeren Kübel die Stufen hinuntertragen, geschweige denn einen vollen hinauf. Die Mutter und Nooria aber mussten, wo immer sie außerhalb des Hauses hingingen, Burkas tragen, und mit diesen Burkas konnten sie unmöglich einen vollen Eimer Wasser die halb zertrümmerten Stufen hinaufschleppen. Außerdem war es immer gefährlich für Frauen, sich ohne männliche Begleitung außerhalb des Hauses aufzuhalten.

Parvana wusste, dass sie es war, die Wasser holen musste, weil niemand anderer in der Familie das tun konnte. Manchmal machte sie das wütend. Manchmal war sie stolz darauf. Aber eines war klar: Was sie auch fühlte, ob sie gut oder schlecht gelaunt war, das Wasser musste geholt werden, und sie war diejenige, die es holen musste.

Endlich war der Wassertank gefüllt, auch der Eimer war voll. Parvana konnte aus den Sandalen schlüpfen, ihren Tschador aufhängen und sich ausruhen. Sie setzte sich auf den Fußboden neben Maryam und sah zu, wie ihre kleine Schwester ein Bild zeichnete.

»Du kannst wunderschön zeichnen, Maryam! Eines Tages wirst du deine Zeichnungen verkaufen und viel, viel Geld dafür bekommen. Und wir werden alle reich sein und in einem Palast leben und du wirst ein Kleid aus blauer Seide tragen ...«

»Aus grüner Seide«, sagte Maryam.

»Aus grüner Seide«, stimmte Parvana zu.

»Du könntest uns helfen, statt bloß herumzusitzen!« Die Mutter und Nooria putzten wieder einmal den Schrank.

»Ihr habt den Kasten doch vor drei Tagen erst geputzt!«

»Hilfst du uns jetzt oder nicht?«

Nicht, dachte Parvana, aber sie stand auf. Die Mutter und Nooria waren ständig dabei, irgendetwas zu putzen. Da sie ja nicht arbeiten oder zur Schule gehen durften, hatten sie nicht viel anderes zu tun. »Die Taliban haben uns befohlen, im Haus zu bleiben, aber das heißt nicht, dass wir im Dreck leben müssen«, sagte die Mutter immer.

Parvana hasste diese Putzerei. Sie verbrauchten dabei das ganze Wasser, das sie so mühsam heraufschleppen musste. Noch mehr Wasser verbrauchte Nooria, wenn sie ihre Haare wusch. Parvana blickte sich in dem kleinen Zimmer um. Alle Möbel, an die sich Parvana aus früheren Wohnungen erinnerte, waren von Bomben zerstört oder von Plünderern gestohlen worden. Alles, was sie jetzt an Möbeln besaßen, war der große hölzerne Schrank, der schon im Zimmer gewesen war, als sie eingezogen waren. Darin wurden die wenigen Besitztümer aufbewahrt, die sie hatten retten können. Außer dem Kasten hatten sie noch zwei Toshaks, die an der Wand auf dem Boden lagen, das waren alle ihre Möbelstücke. Früher hatten sie schöne afghanische Teppiche gehabt. Parvana erinnerte sich, wie sie als Kind mit dem Finger die verschlungenen Muster nachgefahren war. Jetzt lagen bloß billige Matten auf dem Betonboden.

Parvana konnte den Raum mit zehn Schritten durchqueren und mit zwölf Schritten in die andere Richtung. Es war ihre Aufgabe, die Matten mit einem kleinen Besen zu kehren. Sie kannte jeden Zentimeter des Zimmers.

Am einen Ende befand sich der Waschraum. Er war sehr klein, mit einem orientalischen Trittstein-WC, keiner modernen, westlichen Toilette, wie sie früher eine gehabt hatten! Hier stand auch der kleine Propangasherd, weil eine winzige Lüftungsklappe hoch oben in der Wand für frische Luft sorgte. Auch der Wassertank war da, ein großes metallenes Fass, in dem fünf Eimer Wasser Platz hatten. Daneben war die Waschschüssel.

In dem noch stehenden Teil des Gebäudes lebten auch noch andere Leute. Parvana sah sie manchmal, wenn sie Wasser holte oder mit ihrem Vater zum Markt ging. »Wir müssen uns von den Nachbarn fern halten«, sagte der Vater. »Die Taliban ermuntern die Leute, einander auszuspionieren. Es ist sicherer für uns, wenn wir nichts mit ihnen zu tun haben.«

Es ist vielleicht sicherer, dachte Parvana oft, aber es ist auch einsamer. Vielleicht wohnte ein anderes Mädchen in ihrem Alter gleich nebenan und sie würde das niemals herausfinden. Vater hatte seine Bücher, Maryam spielte mit Ali, Nooria hatte die Mutter, aber Parvana war ganz allein.

Die Mutter und Nooria hatten die Fächer feucht ausgewischt. Jetzt räumten sie den Schrank wieder ein.

»Hier sind ein paar Sachen, die dein Vater auf dem Markt verkaufen kann. Leg sie zur Tür«, sagte die Mutter.

Der leuchtend rote Stoff erregte Parvanas Aufmerksamkeit. »Das ist ja mein schöner Shalwar Kameez! Den können wir nicht verkaufen!«

»Was wir verkaufen, bestimme ich, nicht du! Wir brauchen ihn nicht mehr, außer du hast vor, auf eine Party zu gehen, von der du mir nichts erzählt hast.«

Parvana wusste, es hatte keinen Sinn, zu widersprechen. Seit Mutter ihre Arbeit verloren hatte, wurde sie jeden Tag gereizter.

Parvana legte ihr geliebtes Kleidungsstück mit den anderen Sachen zur Tür. Sie streichelte mit den Fingern über die kunstvolle Stickerei. Dieser Shalwar Kameez war ein Eid-Geschenk ihrer Tante aus Mazar-e Sharif, einer Stadt im Norden von Afghanistan. Hoffentlich ist die Tante böse auf die Mutter, weil die ihr Geschenk verkauft, dachte Parvana.

»Warum verkaufen wir nicht Noorias gute Kleider? Sie geht überhaupt nirgendshin!«

»Sie braucht sie, wenn sie heiratet.«

Nooria lächelte triumphierend. Als zusätzliche Beleidigung warf sie den Kopf zurück, dass ihr schönes, langes Haar flog.

»Der tut mir heute schon Leid, der dich einmal heiratet«, sagte Parvana. »Er kriegt eine eingebildete, hochnäsige Kuh zur Frau!«

»Es reicht!«, sagte die Mutter.

Parvana schäumte vor Wut. Immer ergriff die Mutter Noorias Partei! Parvana hasste Nooria, und sie hätte auch ihre Mutter gehasst, wenn sie nicht ihre Mutter gewesen wäre.

Ihr Ärger schmolz aber dahin, als sie sah, wie die Mutter das Bündel mit Hossains Kleidern in die Hand nahm und im obersten Fach des Schranks verbarg. Die Mutter sah immer so traurig aus, wenn sie Hossains Kleider in der Hand hatte.

Nooria war nicht immer das älteste Kind der Familie gewesen. Hossain war der Älteste gewesen. Er war von einer Landmine getötet worden, als er vierzehn war. Mutter und Vater sprachen niemals von ihm. Die Erinnerung war zu schmerzlich. Nooria hatte Parvana einmal von Hossain erzählt, bei einer der wenigen Gelegenheiten, wo die Schwestern miteinander redeten.

Hossain hatte gern gelacht und wollte immer, dass Nooria mit ihm spielte, obwohl sie doch ein Mädchen war.

»Sei doch nicht so eine Prinzessin«, hatte er gesagt. »Ein wenig Fußball spielen tut dir gut!«

Und manchmal, erzählte Nooria, hatte sie nachgegeben und mit ihm Fußball gespielt. Er hatte ihr den Ball immer so gut zugeschossen, dass sie ihn stoppen und zurückschießen konnte. »Er hat auch dich immer hochgenommen und mit dir gespielt«, berichtete Nooria. »Er hatte dich wirklich gern. Stell dir das vor!«

Ich hätte Hossain sicher auch gern gehabt, dachte Parvana.

Als sie den Schmerz im Gesicht ihrer Mutter sah, vergaß sie ihren Zorn und half stillschweigend, das Abendessen herzurichten. Das Essen heiterte alle ein wenig auf, und so blieben sie noch eine Weile beisammen sitzen, als sie fertig waren.

Zu einem bestimmten Zeitpunkt tauschten Nooria und die Mutter dann immer ein geheimes Signal aus, und beide erhoben sich im selben Augenblick, um das Geschirr wegzuräumen. Parvana hatte keine Ahnung, wie sie das machten; sie versuchte immer, das Geheimzeichen zu entdecken, aber das war ihr bisher noch nicht gelungen.

Ali war auf Mutters Schoß eingeschlafen, ein Stückchen Nan in der kleinen Faust. Ab und zu richtete er sich schlaftrunken auf, als wolle er nichts von der Unterhaltung versäumen, und versuchte aufzustehen, aber die Mutter hielt ihn mit sanfter Gewalt fest. Ali zappelte ein wenig, dann schlief er wieder ein. Vater hatte sich mit einem kurzen Schläfchen etwas erfrischt. Er hatte seinen guten weißen Shalwar Kameez angezogen. Sein langer Bart war sorgsam gekämmt. Parvana fand ihren Vater sehr schön.

Die Taliban hatten allen Männern befohlen, sich Bärte wachsen zu lassen. Zuerst fiel es Parvana schwer, sich an das neue Gesicht ihres Vaters zu gewöhnen. Er hatte zuvor niemals einen Bart getragen. Auch er selbst konnte sich nur schwer daran gewöhnen, denn der Bart kitzelte ihn anfangs fürchterlich.

Nun erzählte der Vater wieder historische Episoden. Er hatte Geschichte unterrichtet, bevor seine Schule von einer Bombe getroffen worden war. Parvana war mit diesen Geschichten aufgewachsen, deshalb war sie auch in der Schule in diesem Fach sehr gut gewesen.

»Im Jahre 1880 wollten die Briten unser Land erobern. Wollten wir, dass die Briten uns eroberten?«, wandte er sich an Maryam.

»Nein!«, antwortete Maryam.

»Natürlich nicht! Jeder kommt nach Afghanistan und will es erobern, aber wir Afghanen werfen sie alle hinaus! Wir sind außerordentlich gastfreundliche Menschen. Ein Gast ist bei uns König. Merkt euch das. Wenn ein Gast in unser Haus kommt, muss er immer das Allerbeste bekommen!«

»Oder sie«, sagte Parvana.

Vater lächelte ihr zu. »Oder sie. Wir Afghanen tun alles, damit sich ein Gast wohl fühlt. Aber wenn jemand in unser Haus kommt oder in unser Land und sich wie ein Feind benimmt, dann verteidigen wir uns!«

»Vater, erzähl weiter«, drängte Parvana. Sie hatte die Geschichte schon oft gehört, aber sie wollte sie immer wieder hören.

Wieder lächelte der Vater. »Wir müssen diesem Kind irgendwie Geduld beibringen«, sagte er zur Mutter. Parvana brauchte ihre Mutter nicht anzusehen, um sich vorzustellen, was sie jetzt dachte: Da gibt es noch eine Menge ganz anderer Sachen, die wir diesem Kind beibringen müssen …

»Also schön«, gab der Vater nach. »Weiter. Es war also im Jahre 1880. Im Staub rund um die Stadt Kandahar kämpften die Afghanen mit den Briten. Es war eine fürchterliche Schlacht. Viele Männer starben. Die Briten waren im Vorteil und die Afghanen waren nahe daran, aufzugeben. Ihr Kampfesmut war erloschen und sie hatten keine Kraft mehr weiterzukämpfen. Sie waren nahe daran, sich gefangen nehmen zu lassen. Dann konnten sie wenigstens verschnaufen und vielleicht ihr Leben retten.

Da stürmte plötzlich ein kleines Mädchen, jünger als Nooria, aus einem der Häuser des Dorfes. Sie rannte mitten durch die kämpfenden Truppen bis vor die Kampflinie und wandte sich nach den afghanischen Soldaten um. Sie riss ihren Schleier vom Kopf, und während die heiße Sonne auf ihr Gesicht und den bloßen Kopf brannte, schrie sie den afghanischen Truppen zu:

›Wir können diesen Kampf gewinnen!‹, schrie sie. ›Gebt die Hoffnung nicht auf. Reißt euch zusammen! Los, kämpfen wir weiter.‹ Sie schwenkte ihren Schleier wie ein Kriegsbanner und führte die Truppen in den Endkampf mit den Briten. Und die Briten hatten keine Chance. Die Afghanen gewannen die Schlacht.

Und was ihr daraus lernen könnt, meine Töchter«, sagte Vater und blickte von einer zur anderen, »ist: In Afghanistan hat es immer die tapfersten Frauen der Welt gegeben. Ihr seid alle tapfere Frauen. Ihr seid die Erbinnen des Mutes von Malali!«

»Wir können diesen Krieg gewinnen!«, rief Maryam und schwang ihre Arme, als hätte sie eine Fahne in der Hand. Die Mutter rettete geschwind die Teekanne aus ihrer Reichweite.

»Wie können wir tapfer sein?«, fragte Nooria. »Wir dürfen doch nicht einmal auf die Straße hinaus! Wie können wir Männer in der Schlacht anführen? Ich hab genug vom Krieg! Ich will keinen Krieg mehr!«

»Es gibt verschiedene Arten von Kampf«, antwortete der Vater ruhig.

»Zum Beispiel den Kampf mit dem Abendessen-Geschirr«, sagte die Mutter.

Parvana schnitt ein so kummervolles Gesicht, dass der Vater lachen musste. Maryam versuchte, sie nachzuahmen, da mussten auch die Mutter und Nooria lachen. Ali erwachte, und als er alle lachen sah, lachte er mit.

Die ganze Familie lachte noch, als plötzlich vier Taliban-Soldaten die Tür aufstießen.

Ali reagierte als Erster. Das Krachen der Tür gegen die Wand erschreckte ihn und er begann zu schreien.

Die Mutter sprang auf und einen Augenblick später waren Ali und Maryam in einer Ecke des Zimmers hinter ihrem Rücken versteckt.

Nooria rollte sich blitzschnell zu einer Kugel zusammen und deckte sich mit ihrem Tschador zu. Junge Frauen wurden manchmal von Soldaten geraubt. Sie wurden aus ihren Häusern gezerrt und ihre Familien sahen sie nie wieder.

Parvana vermochte sich überhaupt nicht zu bewegen. Wie erstarrt saß sie am Rande des Essenstuches. Die Soldaten waren riesengroß. Ihre hoch aufgetürmten Turbane machten sie noch größer.

Zwei Soldaten packten den Vater. Die anderen beiden begannen, das Zimmer zu durchsuchen. Die Reste des Abendessens flogen durch das ganze Zimmer.

»Lasst meinen Mann in Ruhe!«, schrie die Mutter. »Er hat nichts Unrechtes getan!«

»Warum bist du nach England studieren gegangen?!«, brüllte einer der Soldaten den Vater an. »Afghanistan braucht keine ausländischen Ideen!« Sie zerrten ihn zur Tür.

»Afghanistan braucht noch mehr ungebildete Halsabschneider wie dich«, sagte der Vater. Einer der Soldaten schlug ihm ins Gesicht. Blut tropfte aus seiner Nase auf den weißen Shalwar Kameez.

Die Mutter sprang auf die Soldaten los und hämmerte mit den Fäusten auf sie ein. Sie packte den Vater am Arm und versuchte, ihn aus dem Griff der Männer loszureißen.

Einer der Soldaten hob sein Gewehr und schlug sie auf den Kopf. Sie brach auf dem Fußboden zusammen. Der Soldat schlug noch ein paarmal zu. Maryam und Ali schrien laut bei jedem Schlag auf Mutters Rücken.

Als Parvana ihre Mutter am Boden liegen sah, konnte sie sich plötzlich wieder bewegen. Die Soldaten zogen ihren Vater aus der Wohnung hinaus und Parvana schlang ihre Arme fest um seinen Leib. Die Soldaten rissen sie mit Gewalt los. Parvana hörte den Vater sagen: »Pass auf die anderen auf, meine kleine Malali!« Dann war er weg.

Hilflos sah sie zu, wie zwei Soldaten ihn über die Treppen hinunterzerrten, sein schöner Shalwar Kameez schleifte auf dem staubigen Boden. Dann bogen sie um eine Ecke und Parvana konnte ihn nicht mehr sehen.

Inzwischen schlitzten die beiden anderen Soldaten im Zimmer mit Messern die Toshaks auf und warfen die Sachen aus dem Kasten zu Boden.

Vaters Bücher! Im Boden des Kastens war ein Geheimfach, das der Vater gebaut hatte, um die wenigen Bücher zu verstecken, die nicht durch die Bomben vernichtet worden waren. Es waren einige englische Bücher über Geschichte und Literatur darunter. Er hatte sie versteckt, denn die Taliban verbrannten alle Bücher, die ihnen nicht zusagten.

Sie durften Vaters Bücher nicht finden! Die Soldaten hatten beim obersten Fach angefangen und kamen immer weiter hinunter. Kleider, Decken, Töpfe, alles landete auf dem Fußboden.

Näher und näher kamen sie dem Fach mit dem doppelten Boden. Parvana schaute voll Entsetzen zu, wie die Soldaten sich hinunterbeugten, um die Sachen herauszuholen.

»Verschwindet aus meinem Haus!«, schrie sie plötzlich und warf sich mit solcher Kraft auf die Soldaten, dass beide zu Boden stürzten. Sie schlug mit Fäusten auf die Männer ein, bis sie zur Seite gestoßen wurde. Dann klatschten Schläge auf ihren Rücken. Parvana hielt den Kopf zwischen den Armen geschützt, bis die Soldaten zu schlagen aufhörten und weggingen.

Mutter erhob sich vom Fußboden und bemühte sich, Ali zu beruhigen. Nooria lag noch immer wie ein Ball zusammengerollt. Maryam war es, die Parvana trösten kam. Bei der ersten leichten Berührung ihrer Hand zuckte Parvana erschrocken zurück, voll Angst, die Soldaten seien zurückgekommen. Maryam streichelte vorsichtig Parvanas Haar, bis diese begriff, wer sie streichelte. Sie setzte sich auf, ihr ganzer Körper schmerzte, Parvana schloss Maryam in die Arme, beide zitterten am ganzen Leib.

Sie wusste nicht, wie lange sie alle so sitzen und liegen blieben, aber sie saßen noch immer an der gleichen Stelle, als Ali schon lange zu schreien aufgehört hatte und vor Erschöpfung eingeschlafen war.

3. Kapitel

Die Mutter legte Ali behutsam auf eine freie Stelle auf dem Fußboden. Auch Maryam war eingeschlafen und wurde neben ihren Bruder hingelegt.

»Räumen wir hier auf«, sagte die Mutter endlich. Langsam brachten sie das Zimmer in Ordnung. Parvanas Rücken und Füße schmerzten. Auch die Mutter bewegte sich mühsam.

Mutter und Nooria räumten den Kasten wieder ein. Parvana holte den Besen von seinem Nagel im Waschraum und kehrte die verstreuten Reiskörner auf. Mit einem Tuch wischte sie den verschütteten Tee auf. Die zerschnittenen Toshaks konnten sie flicken – aber das würde bis morgen warten.

Als das Zimmer wieder einigermaßen normal aussah, legten sie die dicken Steppdecken und Wolldecken auf den Fußboden und legten sich zum Schlafen nieder. Ohne Vater.

Parvana konnte nicht einschlafen. Sie hörte, wie auch die Mutter und Nooria sich ruhelos auf ihren Decken hin und her warfen. Bei jedem winzigen Geräusch fuhr Parvana auf. Sie stellte sich vor, dass der Vater zurückkam – oder die Taliban. Jeder Laut erfüllte sie mit Hoffnung und gleichzeitig mit Angst.

Sie vermisste das Schnarchen ihres Vaters. Er hatte ein sanftes, angenehmes Schnarchen. Während der vielen heftigen Bombardements auf Kabul, als sie so oft umgezogen waren, war Parvana manchmal in der Nacht aufgewacht und hatte nicht gewusst, wo sie sich befand. Aber sobald sie ihren Vater schnarchen hörte, fühlte sie sich sicher.

Heute Nacht schnarchte niemand neben ihr.

Wo war der Vater? Hatte er einen guten Platz zum Schlafen? War ihm kalt? Hatte er Hunger? Hatte er Angst?

Parvana war noch nie in einem Gefängnis gewesen, aber sie hatte Verwandte, die schon einmal eingesperrt worden waren. Eine ihrer Tanten war mit hunderten anderen Schulmädchen verhaftet worden, als sie gegen den Einmarsch der Sowjet-Truppen protestierten. Alle afghanischen Regierungen steckten ihre Gegner ins Gefängnis.

»Du bist kein richtiger Afghane, wenn du nicht jemanden kennst, der im Gefängnis ist«, sagte die Mutter manchmal.

Aber keiner hatte Parvana jemals erzählt, wie es in einem Gefängnis aussah. »Du bist noch zu klein für solche Dinge«, sagten die Erwachsenen immer. So musste sie versuchen, sich das selber vorzustellen.

Es ist sicher kalt dort, dachte Parvana. Und dunkel.

Plötzlich kam ihr ein Gedanke und sie setzte sich mit einem Ruck kerzengerade auf. »Mutter, zünd die Lampe an!«

»Psst, Parvana! Du weckst Ali auf.«

»Zünd die Lampe an«, flüsterte Parvana. »Wenn sie Vater freilassen, braucht er ein Licht im Fenster, das ihm den Weg hierherauf zeigt!«

»Er kann doch nicht gehen! Er hat seinen Stock hier gelassen. Schlaf jetzt, Parvana! Du kannst im Augenblick gar nichts tun.«

Parvana legte sich wieder hin, aber schlafen konnte sie nicht.

Das Zimmer hatte ein einziges kleines Fenster, hoch oben an der Wand. Die Taliban hatten befohlen, alle Fenster müssten mit schwarzer Farbe angestrichen werden, damit niemand die Frauen drinnen sehen konnte.

»Wir werden das nicht tun«, hatte Vater gesagt. »Unser Fenster ist so klein und so hoch oben, da kann unmöglich jemand hereinschauen.« So hatten sie das Fenster nicht gestrichen und bisher hatte noch niemand etwas dagegen gesagt.

An klaren Tagen schien die Sonne für kurze Zeit in einem schmalen Balken herein. Ali und Maryam saßen dann in dem kleinen Sonnenstrahl. Die Mutter und Nooria setzten sich zu ihnen und genossen die Wärme auf ihren Gesichtern und Armen. Dann drehte sich die Sonne weiter und der Sonnenstrahl verschwand wieder.

Parvana ließ ihre Augen nicht von der Stelle, wo sie das Fenster vermutete. Die Nacht war so dunkel, dass sie nicht zwischen Fenster und Wand unterscheiden konnte. Die ganze Nacht starrte sie auf die Stelle, bis endlich die Morgendämmerung die Dunkelheit wegschob und wieder Licht durch das Fenster kam.

Beim ersten Licht hörten die Mutter, Nooria und Parvana auf, sich schlafend zu stellen. Leise, um die Kleinen nicht aufzuwecken, erhoben sie sich und kleideten sich an.

Zum Frühstück kauten sie ein paar Bissen von dem übrig gebliebenen Nan. Nooria wollte auf dem kleinen Gasherd im Waschraum Teewasser heiß machen, aber die Mutter sagte: »Es gibt von gestern Abend noch abgekochtes Wasser, das trinken wir. Wir haben keine Zeit, auf das Teewasser zu warten. Parvana und ich gehen euren Vater aus dem Gefängnis holen.« Sie sagte das in einem Tonfall, als hätte sie gesagt: »Parvana und ich gehen auf den Markt, Pfirsiche kaufen.«

Das Nan fiel Parvana fast aus dem Mund, aber sie sagte nichts. Vielleicht werde ich jetzt endlich sehen, wie es in einem Gefängnis innen aussieht, dachte sie.

Das Gefängnis war sehr weit von ihrem Haus entfernt. Frauen durften ohne männliche Begleitung keinen Bus benutzen. Sie mussten den ganzen Weg zu Fuß gehen. Und wenn sie Vater irgendwo anders hingebracht hatten? Wenn die Taliban sie auf der Straße aufhielten? Mutter sollte ohne ihren Mann überhaupt nicht auf der Straße sein, oder zumindest nicht ohne eine schriftliche Erlaubnis von ihm.

»Nooria, schreib einen Zettel für Mutter!«

»Mach dir keine Mühe, Nooria. Ich werde nicht in meiner eigenen Stadt herumgehen, mit einem Zettel auf meine Burka geheftet, wie ein Kindergartenkind! Ich habe einen Universitätsabschluss!«

»Schreib trotzdem einen Zettel«, flüsterte Parvana Nooria zu, als die Mutter auf der Toilette war. »Ich verstecke ihn in meinem Ärmel.«

Nooria war einverstanden. Ihre Handschrift wirkte erwachsener als die Parvanas. Geschwind schrieb sie: »Ich gestatte meiner Ehefrau, sich auf der Straße zu befinden«, und unterschrieb mit Vaters Namen.

»Ich glaube nicht, dass er viel Sinn hat«, flüsterte Nooria, als sie Parvana den Zettel gab. »Die meisten Taliban können nicht lesen!«

Parvana gab keine Antwort. Sie faltete den Zettel klein zusammen und steckte ihn in den Ärmelaufschlag.

Und dann tat Nooria etwas sehr Ungewöhnliches. Sie umarmte die Schwester. »Komm gut zurück!«, flüsterte sie.

Parvana wollte lieber gar nicht mitgehen, aber zu Hause sitzen und warten, bis die Mutter zurückkam, wäre noch schlimmer.

»Beeil dich, Parvana«, rief die Mutter. »Dein Vater wartet!«

Parvana schlüpfte in die Sandalen, zog ihren Tschador über den Kopf und ging nach ihrer Mutter zur Tür hinaus.

Sie half der Mutter die zerbrochenen Treppen hinunter. Das war ein wenig so, als würde sie Vater helfen. Denn die wallende Burka machte es der Mutter fast unmöglich, zu sehen, wo sie hinstieg. Als sie unten angekommen waren, zögerte die Mutter einen Augenblick. Parvana glaubte schon, sie hätte es sich anders überlegt. Aber dann richtete sich die Mutter zu ihrer vollen Größe auf und stürzte sich in die Straßen von Kabul.

Parvana eilte ihr nach. Sie musste laufen, um mit den großen, schnellen Schritten der Mutter mithalten zu können, aber sie wagte es nicht, hinter der Mutter zurückzubleiben. Es waren einige wenige andere Frauen auf der Straße; sie trugen die verordnete Burka, in der sie alle gleich aussahen. Wenn Parvana die Mutter verlor, würde sie sie womöglich gar nicht mehr wieder finden.

Ab und zu blieb die Mutter bei einem Mann, einer Frau oder bei einer kleinen Gruppe von Männern stehen, einmal sogar vor einem Hausierer-Jungen, und zeigte ihnen die Fotografie des Vaters. Sie sagte kein Wort, sie zeigte nur stumm auf das Foto.

Parvana hielt jedes Mal den Atem an. Fotografien waren verboten. Jeder dieser Menschen, denen sie das Foto zeigte, konnte Parvana und ihre Mutter bei den Militärs anzeigen.

Aber alle schauten das Foto nur aufmerksam an und schüttelten den Kopf. So viele Menschen waren verhaftet. Jeder wusste, was die Mutter wissen wollte, ohne dass sie es aussprechen musste.

Das Pul-i-Charki Gefängnis war sehr weit von Parvanas Haus entfernt. Sie mussten sehr lange gehen. Als endlich die große Festung in Sicht kam, taten Parvana die Füße weh, und, was noch viel schlimmer war, sie war außer sich vor Angst.

Das Gefängnis war riesengroß, dunkel und hässlich. Bei seinem Anblick kam sich Parvana noch viel kleiner vor.

Malali hätte keine Angst, dachte Parvana. Malali würde eine Armee zusammenrufen und das Gefängnis stürmen. Malali würde sich die Lippen lecken bei einer solchen Herausforderung. Ihre Knie würden nicht zittern wie Parvanas Knie.

Wenn Parvanas Mutter Angst hatte, dann zeigte sie es nicht. Sie ging direkt auf die Gefängnistore zu und sagte zu dem Wächter: »Ich komme, um meinen Mann zu holen!«

Der Torwächter beachtete sie überhaupt nicht.

»Ich bin hier, um meinen Mann zu holen!«, wiederholte die Mutter. Sie nahm Vaters Fotografie und hielt sie dem Wächter vor die Nase. »Er wurde heute Nacht verhaftet. Er hat nichts Ungesetzliches getan, und ich will, dass er freigelassen wird!«

Einige andere Wächter kamen herbei. Parvana zupfte die Mutter an der Burka, aber die beachtete sie nicht.

»Ich bin hier, um meinen Mann zu holen!«, sagte sie immer wieder. Parvana zog stärker an dem losen Stoff der Burka.

»Bleib fest, meine kleine Malali«, hörte sie ihren Vater sagen, und plötzlich war sie ganz ruhig.

»Ich bin hier, um meinen Vater zu holen!«, rief sie.

Die Mutter schaute sie durch das Gitternetz vor ihren Augen an. Sie beugte sich hinunter und nahm Parvanas Hand.

»Ich bin hier, um meinen Mann zu holen!«, rief sie wieder.

Wieder und wieder schrien Parvana und ihre Mutter ihre Botschaft. Immer mehr Männer versammelten sich um die beiden. »Seid still!«, befahl einer der Wächter. »Ihr sollt überhaupt nicht hier sein! Geht weg! Geht nach Hause!«

Einer der Soldaten nahm das Foto von Parvanas Vater und zerriss es in kleine Stücke. Ein anderer begann, mit einem Stock auf die Mutter einzuschlagen.

»Lasst meinen Mann frei!«, rief die Mutter immer wieder.

Ein anderer Soldat kam hinzu und prügelte gleichfalls auf die Mutter los. Er schlug auch Parvana.

Obwohl er nicht sehr fest zuschlug, stürzte Parvana zu Boden. Ihr Körper bedeckte die zerrissenen Stückchen des Fotos. Mit einer blitzschnellen Bewegung fegte Parvana die Teilchen zusammen und verbarg sie in ihrem Tschador.

Auch die Mutter lag nun auf dem Boden. Die Soldaten schlugen sie mit Stöcken auf den Rücken.

Parvana sprang auf die Füße. »Halt! Hört auf. Wir gehen

jetzt. Wir gehen ja!« Sie packte einen Angreifer ihrer Mutter am Arm. Er schüttelte sie ab wie ein lästiges Insekt.

»Wer bist du denn, dass du mir vorschreibst, was ich zu tun habe?«, rief er, aber er ließ den Stock sinken. »Verschwindet!« Er spuckte Parvana und die Mutter an.

Parvana kniete neben der Mutter nieder, nahm ihren Arm und half ihr auf die Beine. Die Mutter stützte sich auf Parvana, als sie langsam vom Gefängnis weggingen.

4. Kapitel

Es war sehr spät, als Parvana und ihre Mutter nach Hause zurückkehrten. Parvana war so müde, dass sie sich auf die Mutter stützen musste, um die Stiegen hinaufzukommen. So, wie der Vater sich immer auf sie gestützt hatte. Sie konnte an nichts mehr denken als an den Schmerz, der in jeder Faser ihres Körpers saß, vom obersten Teil des Kopfes bis hinunter zu den Fußsohlen.

Ihre Füße brannten und schmerzten bei jedem Schritt. Als sie die Sandalen auszog, entdeckte sie, warum: Die Füße, die so lange Wegstrecken nicht gewohnt waren, waren voller Blasen. Die meisten waren aufgeplatzt und bluteten.

Noorias und Maryams Augen wurden groß vor Schreck, als sie Parvanas Füße sahen. Sie wurden noch größer, als sie Mutters Füße sahen. Die hatten noch mehr offene Stellen, waren noch blutiger als Parvanas Füße.

Die Mutter war ja nicht auf der Straße gewesen, seit die Taliban vor eineinhalb Jahren Kabul eingenommen hatten. Sie hätte hinausgehen können. Sie hatte eine Burka, und Vater hätte sie jederzeit begleitet, wann immer sie es hätte tun wollen. Viele Ehemänner waren froh, dass ihre Frauen daheim bleiben mussten, aber bei Vater war das nicht so.

»Fatana, du bist eine Journalistin«, sagte er oft. »Du musst mit mir hinausgehen in die Stadt und sehen, was da geschieht! Wie willst du denn sonst darüber schreiben können?«

»Und wer soll lesen, was ich schreibe? Darf ich es veröffentlichen? Nein! Also, warum soll ich dann schreiben, und warum soll ich sehen, was geschieht? Es wird ja doch nicht lange dauern. Das afghanische Volk ist stark und mutig. Es wird diese Taliban bald hinauswerfen. Wenn das geschehen ist, wenn wir wieder eine normale Regierung in Afghanistan haben, dann werde ich wieder hinausgehen. Bis dahin bleibe ich zu Hause.«

»Eine normale Regierung kommt nicht von alleine«, sagte der Vater. »Du bist eine Journalistin. Du musst mit deiner Arbeit mithelfen und mitkämpfen!«

»Wenn wir Afghanistan verlassen hätten, als das noch möglich war, dann hätte ich meine Arbeit tun und kämpfen können.«

»Wir sind Afghanen. Hier ist unsere Heimat. Wenn alle gebildeten Menschen davonlaufen, wer wird dieses Land dann wieder aufbauen?«

Diskussionen dieser Art hatten die Eltern oft. Wenn die ganze Familie in einem einzigen Zimmer lebt, dann gibt es keine Geheimnisse.

Mutters Füße waren von dem langen, ungewohnten Gehen so wund und weh, dass sie es kaum bis ins Zimmer schaffte. Parvana war so sehr mit ihren eigenen Schmerzen beschäftigt gewesen und mit ihrer eigenen Erschöpfung, dass sie gar nicht bemerkt hatte, wie schlecht es ihrer Mutter ging.

Nooria versuchte, ihr zu helfen, aber die Mutter scheuchte sie fort. Sie warf ihre Burka zu Boden. Tränen und Schweiß liefen über ihr Gesicht. Sie brach auf dem Toshak zusammen, wo Vater gestern sein Schläfchen gehalten hatte.

Dort blieb die Mutter liegen und weinte lange, lange Zeit. Nooria wischte ihr mit einem Schwamm den Teil des Gesichtes ab, der nicht im Kissen verborgen war. Sie wusch auch den Staub von den Wunden auf Mutters Füßen.

Die Mutter tat, als wäre Nooria nicht da. Schließlich deckte Nooria sie mit einer leichten Decke zu. Es dauerte lange, bis die Mutter zu schluchzen aufhörte und einschlief.

Während Nooria versuchte, sich um die Mutter zu kümmern, kümmerte Maryam sich um Parvana. Vorsichtig, die Zunge vor Konzentration aus dem Mund gestreckt, trug sie eine Schüssel voll Wasser zu dem Platz, wo Parvana saß. Sie verschüttete keinen einzigen Tropfen. Maryam wischte Parvanas Gesicht mit einem Tuch ab. Sie konnte das Tuch nicht auswinden, Tropfen flossen Parvana über den Hals. Das Wasser tat gut. Parvana tauchte die Füße in die Waschschüssel. Das tat auch gut.

Sie saß mit den Füßen im Wasser, während Nooria das Abendessen richtete.

»Sie haben uns überhaupt nichts von Vater gesagt«, berichtete Parvana. »Was tun wir jetzt? Wie können wir ihn finden?«

Nooria antwortete etwas, aber Parvana verstand es nicht. Sie fühlte sich so schwer, so müde ... die Augen fielen ihr zu und dann war es plötzlich Morgen.

Parvana konnte hören, wie das Frühstück gemacht wurde.

Ich sollte aufstehen und helfen, dachte sie, aber sie schaffte es nicht, sich aufzurichten.

Die ganze Nacht hatte sie von Soldaten geträumt. Soldaten, die sie anbrüllten und schlugen. In ihrem Traum wollte Parvana sie anschreien, sie sollten ihren Vater freilassen, aber es kam kein Wort über ihre Lippen. Sie hatte sogar geschrien: »Ich bin Malali! Ich bin Malali!«, aber die Soldaten hatten sie überhaupt nicht beachtet.

Das Schlimmste an ihrem Traum war, dass sie zusehen musste, wie die Mutter geschlagen wurde. Es war, als würde Parvana es von weit, weit weg beobachten und könne ihr nicht helfen. Parvana setzte sich mit einem Ruck auf, dann entspannte sie sich wieder, als sie sah, dass ihre Mutter auf der anderen Seite des Zimmers auf dem Toshak lag. Es war alles in Ordnung, die Mutter war ja da!

»Ich helf dir ins Bad«, bot Nooria ihr an.

»Ich brauche keine Hilfe!«, sagte Parvana. Aber als sie versuchte aufzustehen, taten ihr die Füße scheußlich weh. So nahm sie Noorias Angebot doch an und ging, auf die Schwester gestützt, zum Waschraum.

»In dieser Familie stützt sich jeder auf jeden«, sagte Parvana.

»Wirklich?«, fragte Nooria. »Und auf wen kann ich mich stützen?«

Das war ein so typischer Nooria-Kommentar, dass Parvana sich gleich ein wenig besser fühlte. Wenn Nooria wieder mürrisch war, dann war das ein Zeichen dafür, dass die Dinge sich normalisierten.

Als sich Parvana das Gesicht gewaschen und die Haare gekämmt hatte, fühlte sie sich noch besser. Dann gab es kalten Reis und heißen Tee.

»Mutter, willst du frühstücken?« Nooria rüttelte ihre Mutter ganz sacht. Die Mutter stöhnte und schüttelte sie ab.

Sie blieb den ganzen Tag auf der Matratze liegen. Sie ging nur ein paarmal in den Waschraum, und sie trank ein paar Tassen Tee, den Nooria in einer Thermoskanne neben den Toshak stellte. Die Mutter legte sich mit dem Gesicht zur Wand hin und sprach kein einziges Wort.

Am nächsten Tag hatte Parvana genug geschlafen. Die Füße taten ihr noch immer weh, aber sie spielte mit Ali und Maryam. Die Kleinen, besonders Ali, konnten nicht verstehen, warum die Mutter sich nicht um sie kümmerte.

»Die Mutter schläft«, sagte Parvana immer wieder.

»Wann wacht sie denn endlich wieder auf?«, fragte Maryam.

Parvana wusste keine Antwort.

Ali tappte immer wieder zur Tür und zeigte zur Klinke hinauf.

»Ich glaube, er will fragen, wo Vater ist«, sagte Nooria.

»Komm, Ali, suchen wir deinen Ball.«

Parvana erinnerte sich an das zerrissene Foto und holte es hervor. Sie legte die Teilchen auf der Matte aus wie die Teile eines Puzzles. Maryam half, Vaters Gesicht zusammenzusetzen.

Ein Teil war verloren gegangen. Vaters Gesicht war ganz, nur ein Stück von seinem Kinn fehlte. »Wenn wir etwas Klebeband kriegen, dann kleben wir es wieder zusammen!«, sagte Parvana. Maryam nickte. Sie sammelte die Papierstückchen zu einem kleinen Stoß und reichte sie der Schwester. Parvana steckte sie in ein Fach ganz hinten im Schrank.

Der dritte Tag kroch dahin. Parvana überlegte sogar, Hausarbeit zu machen, nur damit die Zeit verging, aber sie wollte die Mutter nicht stören. Und dann saßen die vier Kinder einfach mit dem Rücken an die Wand gelehnt und sahen ihrer Mutter beim Schlafen zu.

»Sie muss doch bald aufstehen«, sagte Nooria. »Sie kann doch nicht für immer liegen bleiben!«

Parvana hielt das Herumsitzen nicht mehr aus. Sie hatte nun eineinhalb Jahre in einem Zimmer gelebt, aber es hatte zumindest immer irgendetwas zu tun gegeben oder sie war mit Vater zum Markt gegangen.

Die Mutter lag noch immer am selben Platz. Alle bemühten sich, sie nicht zu stören. Aber Parvana dachte, wenn sie noch viel länger flüstern müsste und aufpassen, dass die Kleinen leise waren, dann würde sie plötzlich zu schreien anfangen.

Wenn sie wenigstens lesen könnte! Aber die einzigen Bücher, die sie besaßen, waren Vaters geheime Bücher. Parvana wagte es nicht, sie aus ihrem Versteck zu holen. Wenn die Taliban wieder hereinplatzten? Sie würden die Bücher mitnehmen und vielleicht die ganze Familie bestrafen, weil sie solche Bücher besaßen.

Ali hatte sich verändert. »Was ist los mit ihm? Ist er krank?«, fragte Parvana Nooria.

»Er vermisst Mutter.« Ali lag auf Noorias Schoß. Er krabbelte nicht mehr herum, wenn man ihn auf den Fußboden setzte.

Meistens lag er einfach da, zu einem Ball eingerollt, den Daumen im Mund.

Er weinte kaum mehr, er schrie auch nicht, oder nur ganz selten. Es war zwar angenehm, einmal Ruhe von seinem Geschrei zu haben, aber diese unnatürliche Stille gefiel Parvana noch viel weniger.

Im Zimmer begann es langsam, unangenehm zu riechen.

»Wir müssen Wasser sparen«, sagte Nooria, und so wuschen und putzten sie überhaupt nichts. Alis schmutzige Windeln legten sie auf einen Haufen im Waschraum. Das kleine Fenster ging nicht sehr weit auf. Kein Windstoß konnte herein, um den Gestank fortzublasen.

Am vierten Tag gab es nichts mehr zu essen.

»Wir haben nichts mehr zu essen«, sagte Nooria zu Parvana.

»Sag das nicht mir, sag es Mutter! Sie ist die Erwachsene, sie muss uns etwas besorgen.«

»Ich will sie nicht stören!«

»Dann sag ich es ihr!« Parvana ging zur Mutter hin und rüttelte sie leicht.

»Mutter, wir haben nichts mehr zu essen!« Keine Antwort. »Mutter, es gibt nichts mehr zu essen!« Die Mutter drehte sich weg. Parvana rüttelte sie wieder, aber Nooria schubste sie weg. »Lass sie in Ruhe! Siehst du nicht, dass sie ganz verzweifelt ist?«

»Wir sind alle verzweifelt«, entgegnete Parvana. »Aber wir sind auch hungrig!« Am liebsten hätte sie laut geschrien, aber sie wollte die Kleinen nicht erschrecken. Sie konnte die Schwester nur wütend anstarren. Und so saßen Nooria und Parvana stundenlang da und starrten einander wütend an.

An diesem Tag aßen sie gar nichts.

»Wir haben nichts mehr zu essen«, sagte Nooria am nächsten Tag wieder zu Parvana.

»Ich geh nicht weg von hier!«

»Du musst aber. Kein anderer von uns kann auf die Straße gehen.«

»Mir tun die Füße weh.«

»Deine Füße werden es überleben, aber wir nicht, wenn wir nichts zu essen haben. Los, geh!«

Parvana blickte zur Mutter, die noch immer auf dem Toshak lag. Sie blickte auf Ali, dessen Gesicht schmal geworden war vom Hunger und der seine Eltern vermisste. Sie blickte Maryam an, deren Wangen einzufallen begannen und die so lange nicht draußen in der Sonne gewesen war. Und zuletzt blickte sie auf ihre große Schwester Nooria.

Nooria sah schrecklich aus in ihrer Angst. Wenn Parvana ihr nicht gehorchte, dann musste sie selbst Essen kaufen gehen.

Jetzt hab ich sie, dachte Parvana. Jetzt kann ich sie quälen, so wie sie mich immer quält. Aber überraschenderweise machte ihr das gar keinen Spaß. Vielleicht war sie zu müde und zu hungrig. Statt eine grobe Antwort zu geben, nahm Parvana das Geld aus der Hand der Schwester.

»Was soll ich kaufen?«, fragte sie.

5. Kapitel

Es war seltsam, ohne den Vater auf dem Markt zu sein. Parvana erwartete fast, ihn auf seinem üblichen Platz auf der Decke sitzen zu sehen, wo er für die Kunden Briefe und andere Schriftstücke las oder schrieb.

Frauen durften die Geschäfte nicht betreten. Normalerweise sollten die Männer alle Einkäufe erledigen, aber wenn Frauen es tun mussten, dann hatten sie vor der Tür stehen zu bleiben und ins Geschäft hineinzurufen, was sie kaufen wollten. Parvana hatte gesehen, wie Ladenbesitzer geschlagen worden waren, weil sie Frauen in ihren Geschäften bedient hatten.

Sie war nicht sicher, ob sie schon als Frau galt. Wenn sie wie eine Frau an der Türe stehen blieb und ihre Wünsche hineinrief, konnte sie Schwierigkeiten bekommen, weil sie keine Burka trug. Wenn sie aber in ein Geschäft hineinging, konnte sie Schwierigkeiten bekommen, weil sie sich nicht wie eine Frau benahm!

Sie schob die Entscheidung auf und kaufte zuerst Nan. Die Bäckerei war ein zur Straße hin offener Stand.

Parvana zog den Tschador enger um ihr Gesicht, sodass man nur mehr die Augen sehen konnte. Sie hielt zehn Finger hoch – zehn Fladen Nan. Es war schon ein Stoß Brote fertig, aber Parvana musste warten, bis noch vier Fladen aus dem Ofen geholt wurden. Der Verkäufer wickelte sie in Zeitungspapier und reichte sie Parvana. Sie bezahlte, ohne aufzuschauen.

Das Brot war noch warm. Es duftete so gut! Der herrliche Geruch erinnerte Parvana daran, wie hungrig sie war. Sie hätte einen ganzen Fladen auf einmal hinunterschlucken können.

Der Obst- und Gemüsestand war gleich nebenan. Bevor sie auswählen konnte, was sie kaufen wollte, hörte sie eine Stimme hinter sich schreien: »Was machst du da in diesem Aufzug?«

Parvana drehte sich um und sah einen Talib-Soldaten hinter sich, die Augen voll Zorn und in der Hand einen Stock.

»Du musst ordentlich verhüllt sein! Wo ist dein Vater? Wo ist dein Mann? Sie werden bestraft werden, dass sie dich so auf die Straße gehen lassen!« Der Soldat hob einen Arm und ließ den Stock auf Parvanas Schulter krachen.

Parvana spürte es kaum. Ihren Vater bestrafen wollten sie? »Hör auf, mich zu schlagen!«, schrie sie.

Der Talib war so überrascht, dass er einen Augenblick ganz reglos dastand. Parvana duckte sich unter ihm durch und rannte los. Sie stieß einen Haufen Steckrüben auf dem Gemüsestand um und die Rüben rollten über den Platz.

Das warme Brot an die Brust gepresst, lief Parvana immer weiter. Ihre Sandalen klapperten auf dem harten Boden. Leute starrten ihr erstaunt nach, aber das war ihr ganz egal. Sie wollte nur weg, weg von dem Soldaten, so weit weg, wie sie konnte, und so schnell ihre Füße sie trugen.

Sie hatte es so eilig, nach Hause zu kommen, dass sie direkt in eine Frau hineinrannte, die ein kleines Kind trug.

»Ist das nicht Parvana?«

Parvana versuchte zu entwischen, aber die Frau packte sie mit festem Griff am Arm.

»Ja, das ist Parvana! Aber was ist denn das für eine Art, Brot zu tragen?!«

Die Stimme hinter der Burka kam Parvana bekannt vor. Aber sie konnte sich nicht erinnern, wem sie gehörte.

»Antworte, Mädchen! Reiß nicht stumm den Mund auf wie ein Fisch auf dem Marktstand. Gib mir endlich Antwort!«

»Mrs Weera?«

»Ach ja, richtig, du kannst ja mein Gesicht nicht sehen, das hab ich ganz vergessen. Also, warum läufst du so wild herum und warum zerdrückst du dieses köstliche Brot?«

Parvana begann zu weinen. »Die Taliban... ein Soldat... er hat mich geschlagen...«

»Wisch dir die Tränen ab. In diesem Fall ist es sehr vernünftig, davonzulaufen. Ich war immer überzeugt, dass du ein vernünftiges Mädchen bist. Das hast du gerade bewiesen. Sehr gut. Du bist also einem Talib davongelaufen. Und wohin willst du jetzt mit dem vielen Brot?«

»Nach Hause. Ich bin schon fast da.«

»Wir gehen zusammen. Ich wollte deine Mutter schon längere Zeit besuchen. Wir müssen eine Zeitschrift machen, und deine Mutter ist gerade die richtige Person, um sie zu schreiben.«

»Mutter schreibt nichts mehr. Und ich glaube nicht, dass sie Besuch haben will.«

»Unsinn. Gehen wir!«

Mrs Weera war mit Parvanas Mutter in einer afghanischen Frauenorganisation gewesen. Sie war so sicher, dass die Mutter nichts gegen ihren Besuch einzuwenden hatte, dass Parvana sie schließlich gehorsam nach Hause führte.

»Und hör endlich auf, das Brot zu quetschen. Es springt dir nicht aus den Armen, auch wenn du es nicht so fest hältst!«

Als sie schon fast am oberen Ende der Treppe angelangt waren, sagte Parvana zu Mrs Weera: »Der Mutter geht's nicht gut!«

»Dann ist es ja gut, dass ich da bin und ihr helfen kann!«, antwortete Mrs Weera.

Parvana gab es auf, Einwände zu machen. Sie kamen zur Wohnungstür und gingen hinein.

Nooria sah zuerst nur Parvana. Sie nahm ihr das Brot ab. »Ist das alles, was du gekauft hast? Wo ist der Reis? Wo ist der Tee? Wie sollen wir mit dem da auskommen?«

»Schimpf nicht mit ihr. Sie ist vom Markt gejagt worden, bevor sie ihre Einkäufe erledigt hatte!« Mrs Weera trat ins Zimmer und zog ihre Burka aus.

»Mrs Weera!«, rief Nooria und sah plötzlich ganz erleichtert aus. Hier war endlich jemand, der die Situation in die Hand nehmen würde, der bereit war, Nooria zumindest von einem Teil ihrer Verantwortung zu befreien.

Mrs Weera setzte das Kind, das sie getragen hatte, neben Ali auf die Matte. Die beiden Kleinen beäugten einander vorsichtig.

Mrs Weera war eine große Frau. Ihr Haar war schon weiß, aber sie war stark und kräftig. Sie war Sportlehrerin gewesen, bevor die Taliban sie aus ihrem Job gejagt hatten.

»Was ist hier los?«, fragte sie. Mit ein paar Schritten war sie im Waschraum und entdeckte die Quelle des Gestankes. »Warum sind diese Windeln da nicht gewaschen?«

»Wir haben kein Wasser mehr«, erklärte Nooria. »Wir hatten Angst, hinunterzugehen.«

»Du hast keine Angst, Parvana, nicht wahr?« Mrs Weera wartete die Antwort nicht ab. »Nimm den Eimer, Mädchen. Leiste deinen Beitrag für unsere Mannschaft. Wir kriegen das schon hin!« Mrs Weera redete, als würde sie zu einem Hockey-Team sprechen und jeder einzelnen Spielerin einschärfen, ihr Bestes zu geben.

»Wo ist Fatana?«, fragte sie, als Parvana den Wasserkübel genommen hatte. Nooria zeigte auf die bewegungslose Gestalt auf dem Toshak, die unter einem Haufen von Decken verborgen war. Die Mutter stöhnte auf und versuchte, sich noch mehr zu verkriechen.

»Sie schläft«, sagte Nooria.

»Wie lange liegt sie schon so da?«

»Vier Tage.«

»Wo ist euer Vater?«

»Verhaftet.«

»Ich verstehe.« Ihr Blick fiel auf Parvana, die noch immer mitten im Zimmer stand, den leeren Eimer in der Hand. »Wartest du darauf, dass es regnet und dein Kübel von selber voll wird? Geh Wasser holen!«

Parvana ging.

Sie ging sieben Mal. Mrs Weera kam ihr bis zur obersten Treppenstufe entgegen und nahm ihr die ersten beiden vollen Eimer ab, leerte sie drinnen in die Tonne und brachte ihr den leeren Eimer zurück. »Deine Mutter wäscht sich, und sie braucht, nicht noch mehr Augen, die ihr dabei zusehen.«

Danach trug Parvana die Kübel in die Wohnung und leerte sie in den Tank, wie immer. Mrs Weera hatte die Mutter dazu gebracht aufzustehen und sich zu waschen. Die Mutter schien Parvana nicht zu bemerken.

Aus der Wohnung hinaus, die Treppen hinunter, die Straße entlang bis zum Wasserhahn und wieder zurück, mit kleinen Pausen zum Verschnaufen und zum Handwechseln beim Schleppen.

»Jetzt hast du den Tank angefüllt und die Waschschüssel und der Eimer sind auch voll. Das ist genug für den Augenblick.«

Parvana war schwindlig geworden von der Anstrengung ohne Essen und ohne Trinken. Sie wollte Wasser trinken, jetzt, sofort.

»Was machst du da!«, schrie Nooria, als Parvana eine Tasse Wasser aus dem Tank schöpfte. »Du weißt doch, dass wir das Wasser zuerst abkochen müssen!«

Nicht abgekochtes Wasser machte krank, aber Parvana war so durstig, dass ihr das egal war. Sie wollte trinken und hob die Tasse an die Lippen.

Nooria riss ihr die Tasse weg. »Du bist doch wirklich das dümmste Mädchen der Welt! Das ist das Letzte, was wir jetzt brauchen können, dass du krank wirst! Wie kann jemand so Blödes nur meine Schwester sein!«

»Das ist kein Teamgeist, so miteinander umzugehen«, sagte Mrs Weera. »Nooria, sei so gut und wasch die Kleinen vor dem Essen. Nimm kaltes Wasser. Wir lassen den ersten Topf heißes Wasser nur zum Trinken.«

Parvana ging ins Zimmer und setzte sich hin. Die Mutter saß auf dem Fußboden. Sie hatte frische Kleider angezogen, ihr Haar war gekämmt und zurückgebunden. Sie schaute wieder aus wie Mutter, nur sehr müde.

Es dauerte eine Ewigkeit, bis Mrs Weera Parvana eine Tasse frisch gekochtes Wasser reichte.

»Vorsicht, es ist sehr heiß!«

Sie trank das Wasser, sobald sie konnte, bekam noch eine Tasse und trank auch die leer.

Mrs Weera und ihre Enkelin blieben über Nacht. Im Einschlafen hörte Parvana sie leise mit Nooria und der Mutter reden. Sie berichtete ihnen von Parvanas Zusammenstoß mit dem Taliban-Soldaten.

Das Letzte, was Parvana hörte, bevor sie einschlief, waren Mrs Weeras Worte: »Ich glaube, wir müssen uns irgendetwas anderes ausdenken!«

6. Kapitel

Sie wollten Parvana als Jungen verkleiden.

»Als Junge kannst du dich auf dem Markt frei bewegen und kaufen, was wir brauchen, und keiner wird dich belästigen!«, sagte die Mutter.

»Es ist die beste Lösung«, sagte Mrs Weera.

»Du bist unser Cousin aus Jalalabad«, sagte Nooria. »Du bleibst bei uns, während der Vater weg ist.«

Parvana starrte die drei Frauen an. Es war ihr, als sprächen sie eine fremde Sprache, und sie hatte keine Ahnung, was es bedeuten sollte.

»Und wenn jemand nach dir fragt, sagen wir, du bist bei deiner Tante in Kunduz«, sagte die Mutter.

»Es wird aber niemand nach dir fragen.«

Bei diesen Worten wandte sich Parvana heftig ihrer Schwester zu und starrte sie zornig an. Wenn jemals, dann war es jetzt Zeit, ihr etwas Hässliches zu sagen, aber es fiel ihr nichts ein. Außerdem hatte Nooria Recht. Keine ihrer Freundinnen hatte nach ihr gefragt, seit die Taliban die Schule geschlossen hatten. Alle Freunde und Verwandten waren im ganzen Land verstreut, ja in den verschiedensten anderen Ländern. Es war niemand da, der nach ihr fragen konnte.

»Du wirst Hossains Kleider tragen«, sagte die Mutter, und einen Augenblick klang es, als würde sie zu weinen anfangen. Aber sie fasste sich sogleich wieder. »Sie werden dir ein bisschen zu groß sein, aber wir können sie, wenn nötig, leicht abändern.«

Sie blickte zu Mrs Weera. »Diese Kleider sind lange genug nutzlos herumgelegen. Es wird Zeit, dass wir sie verwenden.«

Parvana konnte sich gut vorstellen, dass Mrs Weera und ihre Mutter lange und heftig miteinander gesprochen hatten, während sie geschlafen hatte. Sie war froh darüber. Die Mutter sah schon viel besser aus. Aber das hieß nicht, dass sie, Parvana, so leicht nachgeben würde.

»Es wird nicht gehen«, sagte sie. »Kein Mensch wird mich für einen Jungen halten. Ich habe doch lange Haare!«

Nooria öffnete die Kastentür, nahm das Nähzeug heraus und öffnete es langsam. Sehr langsam kramte sie die Schere heraus und ließ sie ein paarmal auf und zu schnappen. Mit diebischem Vergnügen, dachte Parvana.

»Ihr werdet meine Haare nicht abschneiden!«, rief sie und hob ihre Hände schützend über ihren Kopf.

»Wie willst du sonst wie ein Junge aussehen?«, fragte die Mutter.

»Schneid Nooria die Haare ab! Sie ist die Älteste! Sie muss auf mich aufpassen, nicht ich auf sie!«

»Keiner wird mich für einen Jungen halten«, sagte Nooria ruhig und blickte an ihrem Körper hinunter. Diese Ruhe machte Parvana noch wütender.

»Ich werde auch bald so aussehen«, sagte sie.

»Das hättest du gern!«

»Damit werden wir uns beschäftigen, wenn es so weit ist«, sagte die Mutter schnell. »Bis dahin bleibt uns keine andere Wahl. Einer muss problemlos hinausgehen können. Und du bist diejenige von uns, die sich am ehesten als Junge verkleiden kann.«

Parvana dachte darüber nach. Ihre Finger glitten über ihren Rücken, um zu spüren, bis wie weit hinunter ihre Haare reichten.

»Es ist deine freiwillige Entscheidung«, sagte Mrs Weera.

»Wir können dich nicht zwingen, dir die Haare abschneiden

zu lassen. Aber trotzdem bist du diejenige, die hinausgehen und für uns besorgen muss, was wir brauchen. Das ist sehr viel von dir verlangt, aber ich bin sicher, du schaffst es. Was meinst du?«

Mrs Weera hatte Recht. Sie konnten Parvana festhalten und ihr mit Gewalt die Haare abschneiden, aber alles Weitere musste sie, Parvana, freiwillig tun. Es war also wirklich ihre eigene Entscheidung. Und das machte es für sie leichter.

»Gut«, sagte sie. »Ich mach's.«

»Sehr gut«, sagte Mrs Weera. »Das ist Teamgeist!«

Nooria ergriff wieder die Schere. »Ich werde deine Haare abschneiden!«, sagte sie.

»Nein, das mache ich«, erklärte die Mutter. »Bringen wir es hinter uns, Parvana. Wenn du noch länger nachdenkst, wird es nicht einfacher für dich.«

Parvana und die Mutter gingen in den Waschraum, denn dort, auf dem Betonboden, konnte man die Haare leichter wegkehren. Mutter nahm Hossains Kleider mit.

»Magst du zusehen?«, fragte sie mit einer Kopfbewegung zum Spiegel hin.

Parvana schüttelte den Kopf. Dann überlegte sie es sich anders. Sie wollte sich so lange wie möglich mit langem Haar sehen.

Die Mutter arbeitete flink. Zuerst schnitt sie eine dicke Haarsträhne im Nacken ab und hielt sie Parvana vor die Augen.

»Ich hab ein hübsches Band aufgehoben«, sagte sie. »Mit dem binden wir die Haare zusammen und du kannst sie aufheben.«

Parvana schaute das Büschel Haare in der Hand ihrer Mutter an. Am Kopf waren sie ihr wichtig gewesen, aber jetzt waren sie überhaupt nicht mehr wichtig.

»Nein, danke«, sagte Parvana. »Wirf sie weg!«

Die Mutter biss sich auf die Lippen. »Nun, wenn du beleidigt bist«, sagte sie und warf die Haare auf den Fußboden.

Als die Mutter immer mehr Strähnen abschnitt und die Haare immer kürzer wurden, fühlte Parvana sich plötzlich wie ein anderer Mensch. Sie konnte nun ihr ganzes Gesicht sehen. Was von den Haaren übrig geblieben war, war kurz und strubbelig. Ein paar Fransen hingen über die Ohren. Keine langen Strähnen mehr, die ihr in die Augen fielen, die sich an windigen Tagen verheddern konnten und die ewig zum Trocknen brauchten, wenn sie in einen Regen geraten war.

Ihre Stirn schien höher, die Augen größer, vielleicht deshalb, weil sie sie ganz weit aufriss, um sich genau zu betrachten. Die Ohren standen vom Kopf ab.

Das sah ein bisschen komisch aus, aber in liebenswerter Weise komisch, fand Parvana.

Ich seh hübsch aus, dachte sie.

Mutter rubbelte Parvanas kurzes Haar mit den Händen durch, um die losen Haare zu entfernen.

»Zieh dich um«, sagte sie und ging aus dem Waschraum.

Allein gelassen griff sich Parvana auf den Kopf. Zuerst strich sie ganz vorsichtig über das Haar, dann rieb sie kräftig mit den Fingern darüber. Es fühlte sich weich und leicht borstig an. Es kitzelte auf den Handflächen.

Es gefällt mir, dachte sie und lächelte ihrem Spiegelbild zu.

Sie zog ihre Kleider aus und schlüpfte in die ihres Bruders. Hossains Shalwar Kameez, das lose Hemd und die bauschige Hose, war hellgrün. Das Oberteil hing ihr sehr weit hinunter, und auch die Hosen waren viel zu lang, aber Parvana rollte sie an der Taille ein, dann ging es.

An der linken Seite des Hemdes war eine Brusttasche eingenäht, groß genug, um Geld hineinzutun, vielleicht auch ein paar Süßigkeiten, falls sie jemals wieder Süßigkeiten haben würde. Weiter unten gab es noch eine Tasche. Es war angenehm, Taschen zu haben. Die Mädchenkleider hatten keine Taschen.

»Parvana, bist du schon umgezogen?«

Parvana verließ den Platz vor dem Spiegel und ging ins Zimmer zu ihrer Familie.

Das erste Gesicht, das sie sah, war Maryams. Die kleine Schwester starrte sie erstaunt an, als würde sie nicht erkennen, wer da hereinkam.

»Ich bin's, Maryam«, sagte Parvana.

»Parvana!« Maryam lachte, als sie die Schwester erkannte.

»Hossain!«, flüsterte die Mutter.

»Als Junge siehst du nicht so hässlich aus wie als Mädchen«, sagte Nooria schnell. Wenn die Mutter jetzt anfing, an Hossain zu denken, fing sie womöglich wieder zu weinen an.

»Hübsch siehst du aus«, sagte Mrs Weera.

»Da hast du!« Die Mutter gab Parvana eine Kappe. Es war eine weiße Kappe mit herrlicher Stickerei. Parvana setzte sie auf. Vielleicht würde sie nie wieder ihren schönen roten Shalwar Kameez tragen, aber sie hatte nun stattdessen eine wunderschöne, neue Kappe.

»Da hast du Geld«, sagte die Mutter. »Geh, und kauf das ein, was du gestern nicht kaufen konntest.« Sie legte Parvana einen Pakul über die Schultern. Es war der ihres Vaters. »Beeil dich, komm gleich wieder zurück!«

Parvana steckte das Geld in ihre neue Tasche. Sie schlüpfte in die Sandalen und griff nach dem Tschador.

»Den brauchst du doch nicht!«, sagte Nooria.

Das hatte Parvana ganz vergessen. Plötzlich hatte sie Angst. Jeder würde ihr Gesicht sehen! Alle würden sofort erkennen, dass sie kein Junge war!

Sie wandte sich an ihre Mutter. »Ich kann nicht hinaus! Bitte lass mich hier bleiben!«

»Siehst du!?«, sagte Nooria gehässig. »Ich hab dir doch gleich gesagt, sie traut sich nicht!«

»Du kannst leicht sagen, sie traut sich nicht, wenn du selber sicher zu Hause sitzt!«, schrie Parvana. Sie drehte sich um, ging hinaus und knallte die Tür hinter sich zu.

Auf der Straße wartete sie ständig darauf, dass Leute auf sie zeigten und sie eine Schwindlerin nannten. Aber keiner beachtete sie. Und je weniger man sie beachtete, desto sicherer fühlte sie sich.

Wenn Parvana mit ihrem Vater zum Markt gegangen war, war sie ganz still gewesen und hatte ihr Gesicht unter dem Tschador verborgen. Sie hatte versucht, möglichst unsichtbar zu sein. Aber jetzt, wo sie ihr Gesicht ganz offen in die Sonne halten konnte, war sie auf andere Weise unsichtbar. Sie war einfach einer der vielen Jungen auf der Straße. Sie war nicht wert, dass man ihr irgendwelche Aufmerksamkeit schenkte.

Als sie zu dem Geschäft kam, wo es Tee, Reis und andere Sachen zu kaufen gab, zögerte sie einen winzigen Augenblick, dann schritt sie kühn durch die Tür. Ich bin ein Junge, sagte sie sich dauernd leise vor. Das gab ihr Mut.

»Was willst du?«, fragte der Verkäufer.

»Ich ... ich möchte Tee«, stammelte Parvana.

»Wie viel? Welchen?« Der Verkäufer war kurz angebunden, aber es war eine ganz normale Schroffheit, nicht Ärger, weil ein Mädchen in seinem Geschäft war.

Parvana deutete auf die Teemarke, die sie normalerweise zu Hause hatten. »Ist das der billigste Tee?«

»Das hier ist der billigste.« Er zeigte auf eine andere Dose.

»Dann nehme ich den billigsten. Ich brauche auch zwei Kilo Reis.«

»Den billigsten, nicht wahr? Das brauchst du nicht extra zu sagen, du Krösus!«

Parvana verließ das Geschäft mit Reis und Tee, sie war sehr stolz auf sich. »Ich kann es! Ich kann es!«, flüsterte sie.

Am Gemüsestand gab es billige Zwiebeln. Sie kaufte einige.

»Seht, was ich gekauft habe!«, rief Parvana, als sie in die Wohnung stürmte. »Ich hab's geschafft! Ich hab eingekauft und niemand hat mich gefragt oder belästigt!«

»Parvana!« Maryam lief auf sie zu und umarmte sie. Parvana umarmte sie auch, so gut sie es mit vollen Armen konnte.

Die Mutter lag wieder auf dem Toshak, mit dem Gesicht zur Wand. Ali saß neben ihr, er streichelte sie und sagte: »Ma – mama!«, um ihre Aufmerksamkeit zu erregen.

Nooria nahm Parvana die Einkäufe ab und reichte ihr den Wassereimer.

»Solange du noch deine Sandalen anhast«, sagte sie.

»Geht's Mutter wieder schlecht?«

»Schscht! Nicht so laut! Willst du, dass sie dich hört? Sie hat sich so aufgeregt, als sie dich in Hossains Kleidern sah. Man darf ihr keinen Vorwurf machen. Und Mrs Weera ist nach Hause gegangen, das hat sie auch traurig gemacht. Und jetzt hol bitte Wasser!«

»Ich hab doch erst gestern Wasser geholt!«

»Es war so viel zu waschen. Ali hatte fast keine sauberen Windeln mehr. Oder willst du lieber schmutzige Windeln waschen als Wasser holen?«

Parvana nahm den Kübel.

»Lass die Kleider an«, sagte Nooria, als Parvana zurückkam. »Ich hab mir Folgendes überlegt: Wenn du draußen ein Junge bist, solltest du auch drinnen ein Junge sein. Es könnte ja sein, dass jemand daherkommt.«

Das schien Parvana vernünftig. »Aber was ist mit Mutter? Wird sie sich nicht schrecklich aufregen, wenn sie mich die ganze Zeit in Hossains Kleidern sieht?«

»Daran muss sie sich gewöhnen!«

Zum ersten Mal bemerkte Parvana, wie müde Nooria war.

Sie sah viel älter aus als siebzehn.

»Ich helf dir das Mittagessen kochen«, bot sie ihrer Schwester an.

»Du? Helfen? Du bist mir doch höchstens im Weg!«

Parvana wurde wütend. Es war wirklich unmöglich, zu Nooria nett zu sein!

Die Mutter stand zum Mittagessen auf und versuchte, fröhlich zu sein. Sie gratulierte Parvana zu ihren erfolgreichen Einkäufen, aber es fiel ihr sichtlich schwer, ihre Tochter anzusehen.

In der Nacht, als sich alle zum Schlafen niedergelegt hatten, wachte Ali auf und quengelte ein wenig.

»Schlaf ein, Hossain«, hörte Parvana die Mutter flüstern. »Schlaf ein, mein Sohn!«

7. Kapitel

Am nächsten Tag war Parvana nach dem Frühstück wieder unterwegs.

»Nimm die Schreibsachen deines Vaters und seine Decke und geh auf den Markt«, sagte die Mutter. »Vielleicht kannst du ein wenig Geld verdienen. Du hast deinem Vater so oft zugesehen. Mach es einfach so, wie er es immer gemacht hat.«

Parvana gefiel das. Das Einkaufen war gut gegangen. Wenn sie Geld verdienen konnte, musste sie nie wieder Hausarbeit machen. Die Verkleidung als Junge war einmal gut gegangen. Warum sollte sie nicht wieder funktionieren?

Während Parvana zum Markt ging, merkte sie, wie leicht ihr Kopf war ohne das Gewicht der Haare und des Tschadors. Sie spürte die Sonne auf ihrem Gesicht und den leichten Wind, der frisch und angenehm von den Bergen kam.

Die Tasche ihres Vaters hing ihr über die Brust. Drinnen waren das Schreibzeug des Vaters, Schreibpapier und ein paar Dinge, die sie verkaufen wollte. Auch ihr schöner Shalwar Kameez war dabei. Unter dem Arm trug Parvana die Decke, auf der sie sitzen würde.

Sie wählte denselben Platz, an dem sie immer mit dem Vater gesessen war. Er lag direkt an einer Mauer. Das Haus dahinter wurde fast vollständig von der Mauer verdeckt, nur hoch oben schaute ein Fenster zur Straße. Es war mit schwarzer Farbe gestrichen, wie es die Taliban befohlen hatten.

»Wenn wir immer auf demselben Platz sitzen, merken sich die Leute, dass wir da sind, und sie werden sich an uns erinnern, wenn sie etwas zu lesen oder zu schreiben haben«, hatte der Vater oft gesagt. Parvana mochte es, dass er »wir« sagte, als ob sie wirklich Teilhaberin seines Geschäftes wäre. Dieser Platz war auch nicht weit von zu Hause weg. Es gab belebtere Ecken auf dem Markt, aber dorthin hätte sie länger gehen müssen, und Parvana war nicht sicher, ob sie den Weg zurück finden würde.

»Wenn dich jemand fragt, wer du bist, dann sag, du bist Vaters Neffe Kaseem«, sagte die Mutter. Sie hatten diese Geschichte wieder und wieder besprochen, bis Parvana sie im Schlaf konnte. »Sag, der Vater ist krank, und du bleibst bei uns, bis er wieder gesund ist.«

Es war ungefährlicher, zu behaupten, Vater sei krank, als allen Leuten zu erzählen, er sei verhaftet worden. Keiner wollte gern als Staatsfeind gelten.

»Wird denn jemand wollen, dass ich ihm vorlese?«, fragte Parvana. »Ich bin doch erst elf.«

»Du hast mehr Schulbildung als die meisten Erwachsenen in Afghanistan«, erwiderte die Mutter. »Und wenn sich wirklich keiner findet, der sich von dir vorlesen lassen will, dann müssen wir uns eben etwas anderes ausdenken.«

Parvana breitete ihre Decke auf dem harten Lehmboden des Marktes aus, sie legte die Sachen, die sie verkaufen wollte, auf der einen Seite aus, wie Vater es immer getan hatte, Stifte und Papier auf der anderen Seite. Dann setzte sie sich nieder und wartete auf Kunden.

Die erste Stunde verging, ohne dass jemand kam. Männer gingen vorbei, betrachteten sie und gingen weiter. Parvana wünschte sich ihren Tschador herbei, um sich dahinter verstecken zu können. Sie erwartete, jeden Augenblick würde jemand stehen bleiben, auf sie zeigen und schreien: »Ein Mädchen!« Der Ruf würde sich blitzartig auf dem ganzen Markt verbreiten. Alle würden alles liegen und stehen lassen und vor ihr zusammenlaufen. Diese erste Stunde, auf ihrer Decke sitzend, auszuhalten, das war das Schwerste, was Parvana jemals getan hatte.

Sie blickte eben in eine andere Richtung, als jemand vor ihr anhielt. Sie fühlte den Schatten, als der Mann zwischen sie und die Sonne trat. Parvana wandte den Kopf und erblickte den schwarzen Turban, der zur Uniform der Taliban gehörte. Der Mann hatte sein Gewehr quer über den Oberkörper gehängt, fast lässig, so, wie Parvana die Schultertasche ihres Vaters getragen hatte.

Parvana begann zu zittern.

»Du bist ein Briefleser?«, fragte der Mann in Pashtu.

Parvana öffnete den Mund, aber es kam kein Wort heraus, also nickte sie nur.

»Sprich doch, Junge! Ein Briefleser, der nicht reden kann, ist für mich wertlos!«

Parvana holte tief Atem. »Ich bin ein Briefleser«, sagte sie in Pashtu und hoffte, dass ihre Stimme laut und fest genug klang. »Ich kann lesen und schreiben, in Dari und in Pashtu.« Wenn er ein Kunde war, dann war ihr Pashtu hoffentlich ausreichend.

Der Talib blickte sie weiter an. Dann griff er mit der Hand in seine Brusttasche. Ohne die Augen von Parvana zu lassen, zog er etwas heraus. Parvana war nahe daran, ihre Augen zusammenzupressen und zu warten, dass sie erschossen wurde. Dann sah sie, dass der Talib einen Brief aus der Tasche geholt hatte.

Er setzte sich neben sie auf die Decke.

»Lies das«, sagte er.

Parvana nahm das Kuvert. Der Brief hatte eine deutsche Marke. Parvana las die Adresse. »Der Brief ist an Fatima Azima.«

»Das ist meine Frau«, sagte der Talib.

Der Brief war schon alt. Parvana nahm ihn aus dem Umschlag und faltete ihn auseinander. Die Falten waren schon brüchig.

»Meine liebe Nichte«, las Parvana. »Es tut mir Leid, dass ich zu deiner Hochzeit nicht bei dir sein kann, aber ich hoffe, dieser Brief wird dich rechtzeitig erreichen. Es ist gut, hier in Deutschland zu sein, weit weg von all dem Krieg. Aber mein Herz hat Afghanistan nie verlassen. In meinen Gedanken bin ich immer in unserem Land, bei unserer Familie und unseren Freunden, die ich alle vielleicht nie wieder sehen werde.

Heute, an deinem Hochzeitstag, sende ich dir die besten Wünsche für deine Zukunft. Dein Vater, mein Bruder, ist ein guter Mann und er hat dir einen guten Mann als Gatten ausgewählt. Du wirst es am Anfang vielleicht schwer finden, weg von deiner Familie zu sein, aber du hast ja nun eine neue Familie. Bald wirst du spüren, dass du zu ihnen gehörst. Ich hoffe, dass du glücklich wirst und mit vielen Kindern gesegnet und dass du lange genug leben wirst, um noch die Söhne deiner Söhne zu sehen!

Wenn du einmal Pakistan verlassen hast und mit deinem Mann nach Afghanistan zurückgekehrt bist, werden wir uns vermutlich aus den Augen verlieren. Bitte behalte meinen Brief bei dir und vergiss mich nicht, auch ich werde dich nie vergessen! Deine dich liebende Tante Sohila«

Parvana ließ den Brief sinken. Der Talib neben ihr war ganz still. »Soll ich ihn noch einmal vorlesen?«, fragte sie.

Er schüttelte den Kopf und streckte die Hand nach dem Brief aus. Parvana faltete ihn zusammen und gab ihn dem Mann zurück. Seine Hand zitterte ein wenig, als er den Brief in den Umschlag steckte. Parvana sah Tränen in seinen Augen. Eine davon rollte seine Wangen hinunter und blieb in seinem Bart hängen.

»Meine Frau ist tot«, sagte der Talib. »Dieser Brief war unter ihren Sachen. Ich wollte wissen, was drinnen steht.« Er saß einige Minuten lang still da, den Brief in der Hand.

»Soll ich eine Antwort schreiben?«, fragte Parvana, wie sie ihren Vater immer fragen gehört hatte.

Der Talib seufzte, dann schüttelte er den Kopf. »Was bin ich dir schuldig?«

»Was es dir wert ist«, antwortete Parvana. Das hatte auch ihr Vater immer gesagt.

Der Talib nahm Geld aus der Tasche und gab es Parvana. Ohne ein weiteres Wort stand er von der Decke auf und ging fort.

Parvana atmete tief durch. Bis jetzt hatte sie die Taliban immer als Männer gesehen, die Frauen schlugen und ihren Vater verhaftet hatten. War es möglich, dass sie Gefühle hatten, dass sie Kummer und Schmerz fühlen konnten, so wie andere Menschen auch?

Parvana fand das sehr verwirrend. Bald darauf kam ein anderer Kunde, der etwas kaufen wollte. Aber den ganzen Tag musste Parvana an den Talib-Soldaten denken, der um seine Frau trauerte.

Parvana hatte nur noch einen weiteren Kunden, bevor sie zu Mittag nach Hause ging. Ein Mann war erst eine ganze Weile vor ihrer Decke auf und ab gegangen, bevor er sie ansprach.

»Wie viel möchtest du für das da?«, fragte er und deutete auf ihren wunderschönen roten Shalwar Kameez.

Die Mutter hatte ihr keinen Preis dafür genannt. Parvana versuchte, sich zu erinnern, wie ihre Mutter immer mit den Kaufleuten auf dem Markt gefeilscht hatte, früher, als sie noch einkaufen ging. Sie hatte jeden Preis heruntergehandelt, wie hoch oder niedrig er auch gewesen war. »Sie rechnen fest damit, dass du handelst«, sagte sie. »Zuerst nennen sie dir einen Preis, der so hoch ist, dass nur ein Narr ihn zahlen würde.«

Parvana überlegte schnell. Sie stellte sich ihre Tante in Mazar vor, wie sie viele, viele Stunden an der schönen Stickerei am Hemd und an den Hosenbeinen gearbeitet hatte. Sie erinnerte sich, wie schön sie sich vorgekommen war, als sie das Gewand getragen hatte. Und jetzt sollte sie sich davon trennen!

Parvana nannte einen Preis. Der Kunde schüttelte den Kopf und machte ein Gegenangebot, das viel niedriger war. Parvana wies auf die kunstvolle Stickerei hin, und sie nannte einen Preis, der ein wenig niedriger war als ihr erster. Der Kunde zögerte, aber dann feilschte er weiter. Nach einigem Hin und Her einigten sie sich auf eine Summe.

Es war ein gutes Gefühl, etwas zu verkaufen und Geld in die kleine Brusttasche im Hemd stecken zu können. Parvana war so glücklich, dass es ihr nicht mehr so schlimm erschien, als der Mann in das Gewühl des Marktes eintauchte und sie den leuchtend roten Stoff auf seinem Arm für immer entschwinden sah.

Parvana blieb noch längere Zeit auf der Decke sitzen, so lange, bis sie auf die Toilette musste. Es gab aber nirgendwo auf dem Markt für sie eine Möglichkeit dazu, deshalb packte sie ihre Sachen zusammen und ging nach Hause. Die Handgriffe waren die gleichen wie früher, wenn sie mit ihrem Vater hier gewesen war – die Sachen in die Schultertasche packen, die Decke ausschütteln … Wie sehr sie ihren Vater vermisste!

»Vater, komm zurück!«, flüsterte sie und blickte zum Himmel hinauf. Die Sonne schien. Wie konnte die Sonne scheinen, wenn ihr Vater im Gefängnis war?

Aus dem Augenwinkel bemerkte sie eine kaum wahrnehmbare Bewegung. Parvana dachte, sie käme von dem schwarz gestrichenen Fenster in der Mauer her, aber wie war das möglich? Hatte sie geträumt? Sie faltete die Decke zusammen und nahm sie unter den Arm. Dann tastete sie noch einmal nach dem Geld, das sicher in der Tasche verborgen war.

Voll Stolz eilte sie nach Hause.

8. Kapitel

Mrs Weera war zurückgekommen.

»Heute Nachmittag werde ich hier einziehen, Parvana«, sagte sie. »Du kannst mir helfen.«

Parvana wäre gern wieder auf den Markt gegangen, aber Mrs Weera zu helfen, war auch nicht schlecht, wieder eine Abwechslung, die ihr Spaß machte. Außerdem ging es der Mutter viel besser, sobald Mrs Weera in der Nähe war.

»Mrs Weera und ich werden miteinander arbeiten«, erklärte die Mutter. »Wir werden eine Zeitschrift schreiben.«

»So haben wir alle was zu tun. Nooria wird sich um die Kleinen kümmern, deine Mutter und ich werden an unserem Projekt arbeiten und du wirst auf den Markt arbeiten gehen«, erklärte Mrs Weera, als würde sie Positionen auf einem Hockeyfeld bestimmen. »So werden wir alle zusammenhelfen.«

Parvana zeigte ihnen stolz das Geld, das sie verdient hatte.

»Wunderbar!«, sagte die Mutter. »Ich hab gleich gewusst, dass du das kannst!«

»Vater hätte viel mehr verdient«, sagte Nooria, dann biss sie sich auf die Lippen, als wollte sie ihre Worte zurücknehmen.

Parvana war zu gut gelaunt, um sich zu ärgern.

Nach Tee und Nan als Mittagessen ging sie mit Mrs Weera los, um deren Sachen zu holen. Mrs Weera trug natürlich eine Burka, aber sie schritt so fest und energisch aus, dass Parvana sicher war, sie würde Mrs Weera auf einem ganzen Marktplatz voll Burka tragender Frauen erkennen. Mrs Weera bewegte sich, als wollte sie Kinder zusammentreiben, die nach der Schule trödelten. Sie ging schnell, mit hoch erhobenem Kopf und kerzengeradem Rücken. Parvana blieb lieber in ihrer unmittelbaren Nähe.

»Die Taliban belästigen im Allgemeinen keine Frauen, die alleine mit kleinen Kindern unterwegs sind«, sagte Mrs Weera. »Obwohl – ganz sicher kann man nie sein! Aber ich laufe noch jedem Soldaten davon. Auch mit ihm kämpfen kann ich, wenn er es drauf anlegt. Ich bin in meiner Zeit als Lehrerin mit jedem Teenager-Jungen fertig geworden. Da war keiner, der nicht den Tränen nahe war, wenn er von mir eine Standpauke bekommen hatte!«

»Ich hab heute Vormittag einen Talib weinen gesehen«, sagte Parvana leise, aber ihre Worte gingen unter in den Geräuschen der Stadt.

Mrs Weera hatte mit ihrem Enkelkind in einem Zimmer gewohnt, das noch kleiner war als das von Parvanas Familie. Es lag im Erdgeschoss eines zerstörten Gebäudes.

»Wir sind die letzten Weeras«, sagte sie. »Einige haben mir die Bomben genommen, einige der Krieg und der Rest starb an Lungenentzündung.«

Parvana wusste nicht, was sie darauf antworten sollte. Mrs Weera sah nicht aus, als könnte sie Mitleid vertragen.

»Ich habe für heute Nachmittag einen Karachi ausgeborgt«, sagte Mrs Weera. »Der Eigentümer braucht ihn am Abend wieder für seine Arbeit. Aber wir schaffen es ganz leicht mit einer Fuhre, nicht wahr?«

Auch Mrs Weera hatte durch die Bombardements viel verloren. »Was die Bomben übrig gelassen haben, das haben die Räuber gestohlen. Macht das Umziehen einfacher, nicht?«

Parvana lud ein paar Steppdecken und ein paar Küchengeräte auf den Karachi.

»Hier hab ich etwas, was sie alle nicht erwischt haben!« Mrs Weera nahm eine Medaille an einem bunten Band aus einer

Schachtel. »Die hab ich bei einem Leichtathletikwettkampf gewonnen. Ich war die schnellste Läuferin in ganz Afghanistan!«

Die Sonne ließ das Gold der Medaille aufblitzen. »Ich hab auch noch andere Auszeichnungen«, erzählte Mrs Weera. »Viele sind verloren gegangen, aber einige hab ich immer noch!« Sie seufzte ein wenig, dann richtete sie sich auf. »Genug der Pause! Zurück an die Arbeit!«

Am Abend war Mrs Weera eingezogen und der Karachi wieder bei seinem Besitzer. Parvana war so überdreht von den vielen Ereignissen des Tages, dass sie nicht still sitzen konnte.

»Ich geh Wasser holen«, bot sie an.

»Du? Freiwillig?«, fragte Nooria fassungslos. »Bist du krank?«

Parvana beachtete sie nicht. »Mutter, darf Maryam mit mir zum Wasserhahn gehen?«

»Oh, ja, ja, ja! Bitte!« Maryam hüpfte auf und nieder. »Ich möchte so schrecklich gern mit Parvana gehen!«

Die Mutter zögerte.

»Lass sie gehen«, riet ihr Mrs Weera. »Parvana ist doch jetzt ein Junge. Für Maryam besteht überhaupt keine Gefahr!«

Die Mutter ließ sich erweichen, aber zuerst gab es eine Wiederholungslektion für Maryam: »Wie wirst du Parvana nennen, wenn ihr draußen seid?«

»Kaseem.«

»Gut. Und wer ist Kaseem?«

»Mein Cousin.«

»Sehr gut. Vergiss das nicht, und tu, was Parvana dir sagt! Bleib dicht bei ihr, versprichst du mir das?«

»Ja, ja!« Maryam lief, um ihre Sandalen zu holen. »Die sind ja viel zu eng!« Sie begann zu weinen.

»Sie war seit über einem Jahr nicht draußen«, erklärte die Mutter Mrs Weera. »Natürlich sind ihre Füße inzwischen gewachsen!«

»Bringe mir die Sandalen her und wisch dir die Tränen ab«, sagte Mrs Weera zu Maryam. Die Sandalen waren aus Plastik, aus einem einzigen Stück gemacht. »Die werden Ali passen. Ich will sie lieber nicht zerschneiden. Für heute werde ich dir die Füße mit Stoff umwickeln und morgen kauft dir Parvana neue, größere Sandalen auf dem Markt. Maryam sollte jeden Tag in die Sonne hinaus«, sagte Mrs Weera zur Mutter. »Aber keine Sorge, jetzt, wo ich hier bin, werde ich schon Schwung in diese Familie bringen!« Sie band einige Lagen Stoff um Maryams Füße.

»Die Haut ihrer Fußsohlen ist ganz zart, weil sie so lange nicht draußen war«, erklärte sie Parvana. »Pass auf, wo du hintrittst, Maryam!«

»Ich weiß nicht recht…«, begann die Mutter, aber Parvana und ihre kleine Schwester eilten hinaus, bevor sie sich noch anders besinnen konnte.

Sie brauchten sehr lange, um das Wasser zu holen. Maryam hatte seit fast eineinhalb Jahren nur die eigenen vier Wände gesehen. Alles außerhalb der Wohnungstür war neu und interessant für sie. Ihre Muskeln waren nicht die geringste Anstrengung gewohnt. Parvana musste ihr behutsam über die Stufen hinunter- und wieder hinaufhelfen, so, wie sie dem Vater geholfen hatte. Unten ging sie vor der kleinen Schwester her und schubste ihr die kantigen Steine aus dem Weg.

»Schau, da ist der Wasserhahn!«, erklärte Parvana und drehte den Hahn weit auf. Das Wasser spritzte heraus. Maryam lachte. Sie streckte eine Hand aus und zuckte zurück, als der kalte Wasserstrahl ihre Haut traf. Mit weit geöffneten Augen schaute sie Parvana an. Parvana nahm ihre Hand. Gemeinsam ließen sie nun das Wasser über die Hände rinnen.

»Mach den Mund zu und schluck nichts«, warnte Parvana und machte der kleinen Schwester vor, wie man das Gesicht in den Wasserstrahl halten konnte. Maryam machte es ihr nach. Sie spritzte zwar mehr Wasser auf die Kleidung als auf das Gesicht, aber sie hatte viel Spaß dabei. Dann war es fürs erste Mal genug für Maryam.

Am nächsten Tag nahm Parvana Maryams Sandalen mit auf den Markt, als Maß für ein größeres Paar. Sie fand ein Paar gebrauchte, die ein Mann auf der Straße verkaufte. Von nun an begleitete Maryam Parvana jedes Mal beim Wasserholen und allmählich wurde sie kräftiger.

Das neue Leben begann, Routine zu werden. Parvana ging jeden Tag am frühen Morgen zum Markt, kam zu Mittag nach Hause und ging dann am Nachmittag wieder hin.

»Wenn es dort eine Toilette gäbe, könnte ich über Mittag auf dem Markt bleiben«, sagte sie.

»Mir ist lieber, wenn du mittags heimkommst«, meinte die Mutter. »Ich will sicher sein, dass dir nichts passiert ist!«

Nach ungefähr einer Woche hatte Parvana eine Idee. »Mutter, ich seh doch aus wie ein Junge, oder?«

»Ja, das sollst du auch«, antwortete die Mutter.

»Dann könnte ich dich doch begleiten«, sagte Parvana. »Ich könnte auch Nooria begleiten, dann kommt ihr beide auch ein bisschen hinaus an die Luft!« Parvana war ganz aufgeregt bei dem Gedanken. Wenn Nooria ein wenig Bewegung machte, wäre sie vielleicht nicht mehr so schlecht gelaunt. Sehr viel frische Luft würde sie unter ihrer Burka zwar nicht bekommen, aber es wäre zumindest eine Abwechslung.

»Eine ausgezeichnete Idee«, sagte Mrs Weera.

»Ich mag nicht dich als Begleitung!«, begann Nooria, aber die Mutter schnitt ihr das Wort ab.

»Nooria, Ali muss auch an die frische Luft! Parvana kommt gut mit Maryam zurecht, aber Ali will ihr immer davonlaufen. Du musst ihn festhalten!«

»Du solltest auch gelegentlich hinaus, Fatana«, sagte Mrs Weera zur Mutter. Die gab keine Antwort.

Ali zuliebe gab Nooria nach. Jeden Tag nach dem Mittagessen gingen Parvana, Nooria, Ali und Maryam nun eine Stunde auf die Straße. Ali war erst wenige Monate alt gewesen, als die Taliban an die Macht gekommen waren. Er kannte nur das kleine Zimmer, in dem sie für eineinhalb Jahre eingeschlossen gewesen waren. Auch Nooria war seither nicht mehr draußen gewesen.

Sie spazierten in den benachbarten Gassen herum, bis ihre Füße müde wurden, und dann setzten sie sich auf eine Stufe oder auf einen Stein in die Sonne. Wenn niemand in der Nähe war, hielt Parvana Wache, und Nooria schob ihre Burka zurück und ließ die Sonne auf ihr Gesicht scheinen.

»Ich hab schon ganz vergessen, wie herrlich das ist«, sagte sie tief aufatmend.

Wenn gerade keine Warteschlange vor dem Wasserhahn stand, wusch Nooria die Kleinen direkt da und ersparte es Parvana, das Waschwasser hinaufzutragen. Manchmal kam auch Mrs Weera mit ihrem Enkelkind herunter und die drei Kinder wurden gemeinsam gewaschen.

Geschäftlich gab es für Parvana gute und schlechte Tage. Manchmal saß sie stundenlang ohne einen einzigen Kunden da. Sie verdiente insgesamt weniger als ihr Vater, aber die Familie hatte zu essen, auch wenn es meistens nur Nan und Tee war. Die Kinder wurden lebhafter. Die Sonne und die frische Luft taten ihnen gut. Nooria erklärte, sie seien nun in dem kleinen Zimmer viel schwieriger zu bändigen. Sie hatten mehr Energie und wollten immer hinaus, aber das war nicht möglich, wenn Parvana arbeitete.

Jeden Abend gab Parvana der Mutter alles Geld, das sie verdient hatte. Manchmal bat die Mutter sie, auf dem Heimweg

Nan oder etwas anderes einzukaufen. Manchmal, und das mochte Parvana am allerliebsten, kam die Mutter mit ihr auf den Markt, um für die ganze Familie einzukaufen. Mrs Weera hatte sie schließlich doch dazu überredet. Parvana liebte es, ihre Mutter ganz für sich alleine zu haben, auch wenn sie über nichts anderes redeten, als wie viel Kochöl sie kaufen sollten oder ob sie sich diese Woche Seife leisten konnten. Parvana liebte es, auf dem Markt zu sein. Sie liebte es, die Menschen auf den Straßen zu beobachten und Gesprächsfetzen aufzuschnappen, und sie liebte es, den Leuten die Briefe vorzulesen, die sie ihr brachten.

Sie vermisste den Vater noch immer, aber als Woche um Woche verging, gewöhnte sie sich allmählich daran, dass er weg war. Es half ihr auch, dass sie jetzt so viel zu tun hatte. Zu Hause sprachen sie niemals über den Vater, aber manchmal hörte sie die Mutter oder Nooria in der Nacht weinen. Einmal hatte Maryam einen Albtraum und rief laut nach dem Vater. Sie erwachte, und die Mutter brauchte lange, um sie zu beruhigen.

Und eines Nachmittags sah Parvana plötzlich ihren Vater auf dem Markt!

Er war ziemlich weit weg und hatte ihr den Rücken zugewandt, aber Parvana war ganz sicher, dass er es war.

»Vater!«, schrie sie, sprang von ihrer Decke auf und stürzte ihm nach. »Vater! Da bin ich!«

Sie rannte durch die Menge, rempelte Leute aus dem Weg, bis sie endlich ihren Vater erreicht hatte und ihn umarmte.

»Vater! Du bist frei! Sie haben dich freigelassen!«

»Wer bist du denn, mein Junge?«

Parvana blickte in das Gesicht eines Fremden. Sie fuhr zurück. »Oh – ich dachte, Sie wären mein Vater«, sagte sie, und Tränen liefen ihr über die Wangen.

Der Mann legte ihr die Hand auf die Schulter. »Du scheinst ein lieber Junge zu sein. Es tut mir Leid, dass ich nicht dein Vater bin.« Er zögerte, dann sagte er leiser: »Dein Vater ist im Gefängnis?« Parvana nickte. »Manchmal werden Menschen aus dem Gefängnis freigelassen. Gib die Hoffnung nicht auf!«

Der Mann tauchte im Menschengewühl des Marktes unter und Parvana ging zu ihrem Platz zurück.

Eines Nachmittags wollte Parvana gerade ihre Decke ausschütteln, bevor sie nach Hause ging, da bemerkte sie einen bunten Fleck auf dem grauen Wollstoff. Sie bückte sich danach.

Es war ein Stückchen Stickerei, kleiner als eine Streichholzschachtel. Parvana hatte es noch nie gesehen. Während sie überlegte, wo es hergekommen sein mochte, wanderten ihre Augen zu dem schwarz gestrichenen Fenster hinauf, wo sie vor einigen Wochen eine Bewegung zu sehen geglaubt hatte. Jetzt war dort alles still.

Der Wind musste wohl das kleine Stückchen Stickerei auf die Decke geweht haben. Allerdings war der Tag nicht besonders windig gewesen.

Wenige Tage später konnte Parvana aber unmöglich dem Wind die Schuld geben, als sie ein perlenbesticktes Armband auf der Decke fand. Wieder blickte sie zu dem Fenster hinauf. Es stand offen, so weit offen, dass der Fensterflügel die Wand berührte.

In der dunklen Fensteröffnung entdeckte Parvana das Gesicht einer Frau. Die lächelte Parvana schnell zu, dann schloss sie das Fenster.

Eines Tages saß Parvana auf ihrer Decke und beobachtete die Teejungen, die zwischen den Kunden und dem Teestand hin und her liefen. Einer der Jungen stieß beinahe mit einem Esel zusammen. Parvana lachte und schaute gerade dorthinüber, als ein anderer Teejunge neben ihr stolperte und sein Tablett voll mit leeren Teegläsern auf ihre Decke fallen ließ.

Der Junge bückte sich direkt vor Parvana. Sie half ihm, die

Teegläser einzusammeln. Als sie ihm das Tablett reichte, sah sie ihm ins Gesicht. Sie unterdrückte einen Ausruf und schlug die Hand auf den Mund.

Der Teejunge war ein Mädchen aus ihrer Klasse.

9. Kapitel

»Shauzia?«, flüsterte Parvana.

»Nenn mich Shafiq! Und wie soll ich dich nennen?«

»Kaseem. Was machst du hier?«

»Dasselbe wie du, Dummkopf. Aber ich muss zum Teestand zurück. Bleibst du noch eine Weile hier?« Parvana nickte. »Gut. Ich komme später wieder!«

Shauzia nahm ihr Tablett und rannte zum Teegeschäft zurück. Parvana starrte verblüfft ihrer alten Klassenkameradin nach, die sich unter die anderen Teejungen mischte. Sie musste sehr genau hinsehen, damit sie ihre Freundin von den anderen unterscheiden konnte. Dann fiel ihr ein, dass sie besser nicht so angestrengt hinstarren sollte, weil sie sonst jemand fragen könnte, was sie so aufgeregt anschaute! Also blickte Parvana weg und Shauzia tauchte in der Menge unter.

Shauzia und Parvana waren in der Schule nicht besonders gute Freundinnen gewesen. Parvana glaubte, sich zu erinnern, dass Shauzia sehr gut rechtschreiben konnte, aber sie wusste es nicht mehr so genau.

Es gab also noch andere als Jungen verkleidete Mädchen wie sie hier in Kabul. Parvana versuchte, sich zu erinnern, wen sie aus Shauzias Familie noch gekannt hatte, aber ihr fiel niemand mehr ein.

Bei den letzten beiden Kunden dieses Tages war Parvana mit den Gedanken ganz woanders, und sie war froh, als sie Shauzia endlich herbeilaufen sah.

»Wo wohnst du?«, fragte Shauzia. Parvana zeigte in die Richtung, in der ihre Wohnung lag. »Packen wir zusammen und gehen wir, während wir reden. Da, ich hab dir was gekauft!« Sie drückte Parvana ein Stück Papier in die Hand, in das ein paar getrocknete Aprikosen gewickelt waren. Seit Ewigkeiten hatte Parvana so etwas nicht mehr gegessen! Sie zählte die Früchte, es war genau eine für jeden in der Familie und eine extra, die sie jetzt gleich essen konnte. Parvana biss hinein und wunderbare Süße füllte ihren Mund.

»Danke!« Sie steckte die restlichen Aprikosen in die Brusttasche zu dem heute verdienten Geld und begann zusammenzupacken. Heute lag kein kleines Geschenk auf der Decke. Aber das machte nichts. Shauzia zu treffen, war doch wirklich genug für einen Tag!

»Wie lange machst du das schon?«, fragte Shauzia, als sie den Markt verließen.

»Einen Monat ungefähr. Und du?«

»Sechs Monate. Mein Bruder ist in den Iran gegangen, um Arbeit zu suchen, das war vor fast einem Jahr. Wir haben nichts mehr von ihm gehört. Mein Vater starb an Herzversagen. Deshalb muss ich arbeiten gehen.«

»Meinen Vater haben sie verhaftet.«

»Habt ihr etwas von ihm gehört?«

»Nein. Wir sind zum Gefängnis gegangen, aber sie haben uns dort überhaupt nichts gesagt. Wir haben nichts mehr über ihn erfahren.«

»Werdet ihr vielleicht auch nicht mehr«, sagte Shauzia. »Die meisten Menschen, die verhaftet werden, verschwinden spurlos, ohne dass man je wieder etwas von ihnen hört. Sie sind einfach weg. Ich habe einen Onkel, der auch verschwunden ist.«

Parvana packte Shauzia und zwang sie, stehen zu bleiben. »Mein Vater kommt zurück!«, sagte sie. »Er kommt zurück!«

Shauzia nickte. »Ja, ja! Bei deinem Vater ist das anders. Wie geht das Geschäft?«

Parvana ließ Shauzias Arm los und ging weiter. Es war viel einfacher, über das Geschäft zu sprechen, als über ihren Vater. »Manche Tage sind besser, manche sind schlechter. Verdienst du viel als Teejunge?«

»Nicht viel. Es gibt so viele Teejungen, deshalb zahlen sie uns nicht gut. Du, wenn wir zusammen arbeiten, können wir vielleicht etwas finden, wo wir mehr Geld verdienen!«

Parvana dachte an die Geschenke auf der Decke. »Ich möchte eigentlich gern weiter Briefe vorlesen, zumindest einen Teil des Tages. Aber vielleicht können wir nachmittags ein paar Stunden etwas gemeinsam machen!«

»Ich hätte gern einen Bauchladen, um Sachen zu verkaufen. Damit kann man zwischen den Leuten herumgehen. Aber zuerst brauch ich Geld, um mir so ein Tablett zu kaufen, und auch die Sachen, die ich weiterverkaufen will. Aber es bleibt uns nie Geld übrig.«

»Uns auch nicht. Könnten wir mit Bauchläden wirklich viel Geld verdienen?« Parvanas Familie hatte oft nicht einmal Geld für Kerosin, dann konnten abends die Lampen nicht angezündet werden und die Abende wurden sehr lang.

»Nach dem, was andere Jungen mir erzählt haben, verdient man da mehr als als Teejunge. Aber es hat ja keinen Sinn, darüber zu reden! Fehlt dir die Schule?«

Die Mädchen plauderten über ihre alten Klassenkameradinnen, bis sie in Parvanas Straße einbogen. Der Mount Parvana grüßte sie am Ende der Straße. Es war beinahe wie früher, wenn Parvana und ihre Freundinnen gemeinsam von der Schule nach Hause gingen und über Lehrer und Hausübungen schwatzten.

»Da oben wohne ich«, sagte Parvana und zeigte auf die Außentreppen. »Du musst mit hinaufkommen und meine Familie begrüßen!«

Shauzia warf einen Blick auf den Himmel, um zu sehen, wie

spät es war. »Ja, aber nur ganz kurz! Dann muss ich laufen. Wenn deine Mutter mich auf einen Tee einlädt, musst du mir helfen und ihr erklären, dass ich heute unmöglich bleiben kann.«

Parvana versprach es und sie stiegen die Stufen hinauf.

Das war eine Überraschung, als Parvana mit Shauzia auftauchte! Alle umarmten sie wie eine alte Freundin, obwohl Parvana sich nicht erinnern konnte, dass sie Shauzia schon einmal getroffen hatten. »Diesmal lasse ich dich ohne Essen weg«, sagte die Mutter. »Aber jetzt, wo du weißt, wo wir wohnen, musst du einmal mit deiner ganzen Familie zum Essen kommen!«

»Da sind nur mehr meine Mutter und ich und meine beiden kleinen Schwestern«, erwiderte Shauzia. »Und meine Mutter geht niemals aus. Sie ist immer krank. Wir wohnen bei den Eltern meines Vaters und einer seiner Schwestern. Es gibt andauernd Streit. Ich bin froh, wenn ich von dort wegkomme und arbeiten kann!«

»Nun, du bist jedenfalls jederzeit willkommen hier!«, sagte die Mutter.

»Darfst du zu Hause eigentlich weiter lernen?«, fragte Mrs Weera.

»Meine Großeltern halten nichts von Schulbildung für Mädchen. Und weil wir bei ihnen wohnen, müssen wir tun, was sie wollen, sagt meine Mutter.«

»Stört es sie nicht, dass du dich als Junge verkleidest und arbeiten gehst?«

Shauzia zuckte die Achseln. »Sie essen, was ich verdiene. Also müssen sie sich damit abfinden.«

»Ich hab daran gedacht, hier eine kleine Schule anzufangen«, sagte Mrs Weera zu Parvanas Überraschung. »Eine geheime Schule für einige Mädchen, ein paar Stunden in der Woche. Du musst auch kommen, Shauzia, wenn es so weit ist. Parvana wird es dir sagen.«

»Und die Taliban?«

»Die Taliban werden wir nicht einladen!« Mrs Weera lächelte über ihren eigenen Scherz.

»Was wirst du unterrichten?«, fragte Shauzia.

»Feldhockey!«, antwortete Parvana. »Mrs Weera war nämlich Turnprofessorin!«

Bei der Vorstellung, eine heimliche Feldhockey-Schule in ihrem kleinen Zimmer einzurichten, mussten sie alle lachen.

Shauzia lachte immer noch, als sie ein paar Minuten später nach Hause ging.

An diesem Abend gab es viel zu besprechen.

»Wir müssen ihre Mutter besuchen«, sagte die Mutter. »Ich brauche ihre Geschichte für unsere Zeitschrift!«

»Und wie wollt ihr sie veröffentlichen?«

Mrs Weera antwortete: »Wir werden die Texte nach Pakistan schmuggeln, dort werden sie gedruckt. Dann werden sie heimlich nach Afghanistan zurückgebracht, immer ein paar Stück.«

»Und wer wird sie schmuggeln?«, fragte Parvana mit aufkeimender Angst, dass womöglich sie das übernehmen müsste. Nachdem sie sie schon in einen Jungen verwandelt hatten, konnte man nicht wissen, was sie sonst noch mit ihr vorhatten.

»Das machen andere Frauen aus unserer Organisation«, antwortete die Mutter. »Während du auf dem Markt warst, hatten wir Besuch. Ein paar von den Frauen haben Ehemänner, die unsere Arbeit unterstützen, und die werden uns helfen.«

Nooria hatte viele Ideen für die Schule. Sie hatte nach der Mittelschule Lehrerin werden wollen, bevor die Taliban ihre Pläne zunichte gemacht hatten. Der Vater hatte Nooria und Parvana eine Zeit lang selbst weiter unterrichtet, aber es ging ihm gesundheitlich so schlecht, dass sie damit aufhören mussten.

»Ich könnte Mathematik und Geschichte unterrichten«, sagte

Nooria. »Mrs Weera macht Gesundheitslehre und Naturwissenschaften und Mutter kann die Sprachen übernehmen.«

Die Vorstellung, von Nooria unterrichtet zu werden, gefiel Parvana ganz und gar nicht. Als Lehrerin war Nooria sicher noch viel herrschsüchtiger als als große Schwester! Aber Parvana konnte sich nicht erinnern, wann Nooria das letzte Mal voll Eifer Pläne geschmiedet hatte. Deshalb sagte sie lieber nichts.

Parvana und Shauzia sahen einander fast täglich auf dem Markt. Parvana wartete immer, bis die Freundin zu ihr kam.

Sie war zu schüchtern, um unter den vielen Teejungen herumzulaufen und Shauzia zu suchen. Die beiden Mädchen redeten immer wieder davon, eines Tages so viel Geld zu verdienen, dass sie sich Bauchläden leisten konnten und Waren dazu, die sie dann verkaufen würden. Aber bisher war ihnen noch kein Weg eingefallen, wie sie ihren Traum wahr machen konnten.

Eines Nachmittags, als sie gerade einen Kunden bediente, landete etwas auf Parvanas Kopf. Sie nahm es schnell an sich. Als niemand zusah, betrachtete sie das jüngste Geschenk der Fensterfrau. Es war ein hübsches weißes Taschentuch mit rot gesticktem Saum.

Parvana wollte eben zum Fenster schauen und ein Lächeln hinaufschicken, falls die freundliche Frau sie beobachtete, da kam Shauzia angelaufen.

»Was hast du da?«

Parvana sprang auf und stopfte das Taschentuch hastig in ihre Tasche. »Nichts. Wie ist es dir heute gegangen?«

»Wie üblich. Aber ich weiß etwas! Ein paar Teejungen haben gehört, wie man viel Geld verdienen kann. Irrsinnig viel Geld!«

»Wie?«

»Es wird dir nicht gefallen. Mir gefällt es natürlich auch nicht. Aber es wird sehr gut bezahlt, viel besser als das alles hier.«

»Und was ist es?«

Shauzia sagte es ihr. Parvana blieb der Mund offen. Shauzia hatte Recht. Die Sache gefiel ihr ganz und gar nicht!

10. Kapitel

Knochen. Sie sollten Knochen ausgraben. Auf einem Friedhof
»Ich weiß nicht so recht…«, sagte Parvana zu Shauzia am nächsten Morgen. Sie hatte ihre Decke und Vaters Schreibsachen dabei. Parvana hatte es nicht fertig gebracht, der Mutter von der Knochengräberei zu erzählen, deshalb hatte sie wie jeden Tag ihre Sachen mitnehmen müssen.

»Gut, dass du deine Decke mithast! Wir können die Knochen damit transportieren«, sagte Shauzia, ohne Parvanas Einwände zu beachten. »Komm schon, wenn wir uns nicht beeilen, bleiben wir zurück!«

Das fand Parvana nicht so schlimm, aber nach einem kurzen Blick über den Markt und zu dem schwarz gestrichenen Fenster ihrer geheimen Freundin lief sie gehorsam hinter Shauzia her, um die Gruppe der Teejungen einzuholen.

Der Himmel war wolkenverhangen dunkel. Sie gingen fast eine Stunde, durch Straßen, die Parvana nicht kannte, und kamen in die Gegend von Kabul, die am stärksten von den Bomben zerstört war. Im ganzen Viertel stand kein einziges heiles Haus mehr, nur große Haufen von Ziegeln und Staub und Schutt waren zu sehen.

Bomben waren auch auf den Friedhof gefallen. Durch die Explosionen waren Gräber aufgebrochen, und hier und da standen weiße Knochen von Menschen, die schon lange tot waren, aus der rostbraunen Erde. Scharen von schwarzen und grauen Krähen pickten krächzend auf den zerbombten Gräbern des jüngeren Friedhofteils. Der leichte Wind wehte Verwesungsgestank zu Parvana und Shauzia hinüber. Die Mädchen standen am

Rande des älteren Teiles und sahen den Jungen zu, die über diesen alten Teil des Friedhofs ausschwärmten und zu graben begannen.

Parvana bemerkte einen Mann, der eine große Waage neben die halb zerstörte Mauer eines Gebäudes stellte.

»Wer ist das?«, fragte sie.

»Das ist der Knochenhändler. Er kauft uns die Knochen ab.«

»Und was macht er mit ihnen?«

»Er verkauft sie jemand anderem.«

»Aber warum will jemand alte Knochen kaufen?«

»Das kann uns egal sein, solange wir dafür bezahlt bekommen.« Shauzia reichte Parvana eines der beiden rauen Bretter, die sie als Schaufel mitgebracht hatte. »Komm, fangen wir an!« Die Mädchen gingen zum nächstliegenden Grab.

»Was ist, wenn ... wenn da noch einer drinnen liegt?«, begann Parvana. »Ich meine, wenn es noch nicht nur Knochen sind.«

»Wir suchen ein Grab, wo schon ein Knochen heraussteht.«

Sie brauchten nicht lange zu suchen.

»Breite deine Decke aus«, gebot Shauzia. »Wir legen die Knochen auf einen Haufen und machen dann ein Bündel daraus.« Parvana breitete die Decke aus. Sie wünschte sich auf den Markt zurück, unter das Fenster, hinter dem ihre geheime Freundin wohnte.

Die beiden Mädchen blickten einander an, jede hoffte, die andere würde beginnen.

»Wir sind doch hier, um Geld zu verdienen, oder?«, sagte Shauzia schließlich. Parvana nickte stumm. »Also, dann lass uns Geld verdienen!« Shauzia packte den Knochen, der aus der Erde heraussah, und zog daran. Er ließ sich herausziehen wie eine Karotte aus einem Gemüsebeet. Shauzia warf den Knochen auf die Decke.

Parvana wollte der Freundin nicht nachstehen. Sie nahm das

Brett und begann, die Erde aufzukratzen. Die Bomben hatten schon viel von dieser Arbeit für sie erledigt. Viele Knochen lagen, nur ein wenig mit Erde bedeckt, da und waren leicht zu holen.

»Glaubst du, die haben was gegen das, was wir da tun?«, fragte Parvana.

»Wer?«

»Die Leute, die hier begraben sind. Glaubst du, es stört sie, wenn wir sie ausgraben?«

Shauzia stützte sich auf ihr Brett. »Das kommt darauf an, was für Leute sie waren. Wenn sie früher knausrige, geizige Menschen waren, dann stört es sie vielleicht schon. Aber wenn sie freundlich und großzügig waren, macht es ihnen sicher nichts aus!«

»Würde es dir etwas ausmachen?«

Shauzia starrte sie an und öffnete den Mund, aber dann schloss sie ihn wieder und grub weiter. Parvana fragte sie nicht noch einmal.

Wenig später legte Parvana einen Schädel frei. »He, schau dir den an!« Sie lockerte mit dem Brett die Erde auf und grub den Rest des Schädels mit den Fingern aus, um ihn nicht zu zerbrechen. Dann hielt sie ihn Shauzia vor die Nase wie eine Trophäe.

»Er grinst!«

»Natürlich grinst er. Er freut sich, dass er nach so langer Zeit in der Dunkelheit wieder im Licht ist! – Bist du froh, Mr Schädel?« Parvana ließ den Schädel nicken. »Siehst du!«

»Setz ihn auf den Grabstein. Er soll unser Maskottchen sein!«

Parvana stellte den Totenkopf vorsichtig auf den zerbrochenen Grabstein. »Das ist unser Chef, er passt auf, dass wir alles richtig machen!«

Die Mädchen räumten das erste Grab leer und suchten das nächste. Mr Schädel nahmen sie mit. Er bekam bald einen zweiten zur Gesellschaft. Als die Decke voll Knochen war, saßen fünf Schädel in einer Reihe und grinsten auf die Mädchen hinunter.

»Ich muss auf die Toilette«, sagte Parvana. »Was soll ich tun?«

»Ich muss auch.« Shauzia blickte sich um. »Dort drüben ist ein Hauseingang«, sagte sie und zeigte auf ein zerstörtes Gebäude. »Geh du zuerst. Ich passe inzwischen auf.«

»Auf mich?«

»Auf unsere Knochen!«

»Ich soll allein dorthin gehen?«

»Keiner beachtet dich hier. Geh hin oder halt es zurück.«

Parvana nickte und legte das Schaufelbrett nieder. Sie hatte es schon eine ganze Weile zurückgehalten.

Sie schaute, ob auch niemand zu ihr hersah, und eilte zu dem verfallenen Eingang.

»He, Kaseem!«

Parvana blickte zu der Freundin zurück.

»Gib Acht auf Landminen!«, sagte Shauzia. Sie grinste. Parvana grinste zurück. Shauzia hatte wahrscheinlich nur einen dummen Witz gemacht, aber sie wollte lieber doch aufpassen. »In Kabul gibt es mehr Landminen als Blumen«, hatte der Vater oft gesagt. »Sie sind so häufig wie Steine und sie können einen ohne jede Warnung zerreißen. Denkt an euren Bruder!« Einmal in der Schule war jemand von den Vereinten Nationen in ihre Klasse gekommen und hatte ihnen auf einem Tafelbild die verschiedensten Formen von Landminen gezeigt. Parvana versuchte, sich zu erinnern, wie sie ausgesehen hatten. Aber sie konnte sich nur daran erinnern, dass manche Minen als Spielzeug getarnt waren, extra, um Kinder in die Luft zu jagen.

Parvana spähte in den dunklen Hauseingang. Manche Armeen legten, wenn sie abzogen, Minen in Gebäude. Hatte vielleicht jemand eine Mine in dieser Ruine versteckt? Würde sie zerrissen werden, wenn sie da hineinging und auf eine Mine trat?

Parvana hatte drei Möglichkeiten: Die erste war, nicht auf die Toilette zu gehen, bis sie heimkam. Das war aber unmöglich, sie konnte es einfach nicht mehr aushalten. Die zweite Möglichkeit war, es im Freien zu erledigen. Das war gefährlich, weil jemand sie beobachten und bemerken könnte, dass sie ein Mädchen war. Die dritte Möglichkeit war, hier in die Dunkelheit hineinzugehen und zu hoffen, dass nichts explodierte.

Parvana wählte die dritte Möglichkeit. Sie holte tief Luft, sagte ein Stoßgebet und trat in das verfallene Gebäude. Sie explodierte nicht.

»Keine Landminen?«, fragte Shauzia, als Parvana zurückkam.

»Doch, aber ich hab sie mit dem Fuß weggestoßen«, scherzte Parvana, aber sie zitterte immer noch.

Als auch Shauzia von dem dunklen Eingang zurückkam, banden die Mädchen die Decke zu einem Bündel und trugen die Knochen mitsamt den Schädeln zu dem Knochenhändler mit seiner Waage. Er musste die Waagschale dreimal füllen, um alle ihre Knochen abzuwiegen. Der Händler rechnete das Gewicht zusammen, nannte die Summe und zählte ihnen das Geld in die Hand.

Parvana und Shauzia sagten kein Wort, bis sie weit genug vom Knochenhändler entfernt waren. Sie fürchteten, er hätte sich geirrt und ihnen zu viel Geld gegeben.

»So viel habe ich vorige Woche in drei Tagen eingenommen!«, sagte Parvana.

»Ich hab dir doch gesagt, wir werden viel Geld verdienen«, antwortete Shauzia, als sie Parvana die Hälfte des Geldes gab. »Sollen wir aufhören für heute oder weitergraben?«

»Weitergraben natürlich!« Die Mutter erwartete Parvana

zum Mittagessen, aber sie musste sich eben eine Ausrede einfallen lassen.

Mitten am Nachmittag brach plötzlich die Sonne durch die Wolken und helles Sonnenlicht leuchtete auf die Gräber.

Parvana stieß Shauzia an, und sie blickten über die Erdhügel der aufgegrabenen Gräber, auf die Jungen, die schwitzend und dreckverschmiert gruben, und auf die Haufen von Knochen neben ihnen, die in der Sonne weiß aufleuchteten.

»Wir dürfen das nicht vergessen!«, sagte Parvana. »Wenn alles wieder besser wird und wir erwachsen sind, müssen wir uns an diesen Tag erinnern. Dass wir als Kinder auf einem Friedhof alte Gräber aufgruben und die Knochen sammelten und verkauften, damit unsere Familien zu essen hatten.«

»Wird uns das jemand glauben?«

»Nein. Aber wir werden wissen, dass es geschehen ist.«

»Wenn wir einmal reiche, alte Damen sind, werden wir zusammen Tee trinken und über diesen Tag sprechen!«

Die Mädchen lehnten sich auf ihre Schaufelbretter und sahen den anderen Kindern beim Knochenausgraben zu. Dann verschwand die Sonne und sie arbeiteten selbst weiter. Sie füllten die Decke ein zweites Mal an, bevor sie an diesem Tag Schluss machten.

»Wenn wir alles Geld unseren Familien geben, werden ihnen tausend Dinge einfallen, die sie dringend brauchen, und wir kriegen nie unsere Bauchläden«, sagte Shauzia. »Ich glaube, wir sollten einen Teil des Geldes behalten und nicht alles hergeben.«

»Wirst du deiner Familie erzählen, was du heute getan hast?«

»Nein!«, sagte Shauzia.

»Ich auch nicht«, sagte Parvana. »Ich werde ihnen das geben, was ich normalerweise an einem Tag verdiene, vielleicht ein bisschen mehr. Eines Tages werde ich ihnen alles erzählen, aber nicht heute!«

Sie trennten sich und vereinbarten, sich am nächsten Morgen in aller Früh wieder zu treffen und noch einmal auf den Friedhof zu gehen und Knochen auszugraben.

Bevor sie die Stufen zur Wohnung hinaufstieg, ging Parvana zum Wasserhahn. Ihre Kleider waren voll Schmutz. Sie wusch sie, so gut sie konnte, direkt am Körper. Dann nahm sie das Geld aus der Tasche und teilte es in zwei Teile. Einen steckte sie in die Brusttasche zurück, um es der Mutter zu geben. Den Rest versteckte sie ganz unten in der Schultertasche, neben Vaters Schreibpapier.

Zuletzt steckte Parvana den Kopf unter den Wasserhahn, in der Hoffnung, das kalte Wasser würde die Bilder von dem, was sie heute gesehen hatte, aus ihrem Kopf waschen. Aber jedes Mal wenn sie die Augen schloss, sah sie Mr Schädel und seine Kumpane auf dem Grabstein aufgereiht sitzen und grinsen.

11. Kapitel

»Du bist ja ganz nass!«, sagte Maryam, als Parvana zur Tür hineinkam.

»Alles in Ordnung? Geht's dir gut?« Die Mutter sprang auf. »Wo warst du?! Warum bist du zu Mittag nicht nach Hause gekommen?«

»Ich habe gearbeitet«, sagte Parvana. Sie versuchte, sich fortzuwinden, aber die Mutter hielt sie an den Schultern fest.

»Wo warst du?«, wiederholte die Mutter. »Wir haben solche Angst gehabt, sie hätten dich verhaftet!«

Alles, was sie heute gesehen und getan hatte, stürmte plötzlich mit voller Gewalt auf Parvana ein. Sie schlang ihre Arme um Mutters Hals und weinte. Die Mutter hielt Parvana fest, bis sie sich wieder so weit beruhigt hatte, dass sie sprechen konnte.

»Und nun erzähl, wo du heute warst!«

Parvana konnte es der Mutter nicht ins Gesicht sagen. Sie drehte sich zur Wand und sagte zur Mauer: »Ich hab Gräber aufgegraben.«

»Was hast du getan?«, fragte Nooria.

Parvana ging von der Wand weg und setzte sich auf einen Toshak. Dann berichtete sie alles, was sie an diesem Tag erlebt hatte.

»Du hast richtige Knochen gesehen?«, fragte Maryam.

»So weit sind wir also gekommen in Afghanistan«, sagte die Mutter. »Wir graben die Knochen unserer Ahnen aus, damit wir unsere Familien ernähren können.«

»Knochen werden für alles Mögliche verwendet«, sagte Mrs

Weera. »Für Hühnerfutter, Kochöl, Seife und Knöpfe. Ich habe gehört, dass man die Gebeine von Tieren dafür verwendet. Aber irgendwie sind Menschen ja auch Tiere.«

»War es das wert?«, fragte Nooria. »Wie viel hast du verdient?«

Parvana nahm das Geld aus der Hemdtasche und kramte den Rest aus der Schultertasche hervor. Sie legte alles auf den Fußboden, sodass es jeder sehen konnte.

»So viel Geld für alte Knochen!«, sagte Mrs Weera atemlos.

»Morgen gehst du wieder Briefe lesen! Schluss mit dem Graben!«, bestimmte die Mutter. »Wir brauchen das Geld nicht so dringend.«

»Nein«, sagte Parvana zu ihrer Mutter.

»Wie bitte?«

»Ich will jetzt nicht damit aufhören. Shauzia und ich wollen uns Bauchläden kaufen und Waren, die man so verkaufen kann. Auf diese Weise kann ich hingehen, wo viele Leute sind, und muss nicht warten, bis die Leute zu mir kommen. Ich kann dann viel mehr Geld verdienen.«

»Wir kommen gut mit dem zurecht, was du mit dem Briefe-Vorlesen verdienst.«

»Nein, Mutter, das tun wir nicht!«, sagte Nooria.

Die Mutter fuhr herum und wollte Nooria zurechtweisen, weil sie ihr widersprochen hatte, aber Nooria redete einfach weiter: »Wir haben nichts mehr, was wir verkaufen können. Was Parvana verdient, reicht für Nan, Reis und Tee, aber es bleibt sonst nichts übrig. Wir brauchen Geld für die Miete, für Propangas, für Kerosin für die Lampen. Wenn sie auf diese Weise Geld verdienen kann und wenn sie das auch tun will, dann solltest du es ihr, finde ich, erlauben!«

Nun war Parvana erstaunt. Nooria auf ihrer Seite? Das war noch nie da gewesen!

»Froh bin ich, dass dein Vater nicht hören kann, wie respektlos du mit mir sprichst!«

»Das ist es ja«, sagte Mrs Weera ruhig. »Der Vater ist nicht da. Wir erleben jetzt ungewöhnliche Zeiten. In solchen Zeiten müssen ganz normale Leute ungewöhnliche Dinge tun, einfach um zu überleben.«

Schließlich gab die Mutter nach. »Du musst mir alles erzählen, jede Kleinigkeit«, sagte sie. »Wir werden das in unserer Zeitschrift veröffentlichen, alle Welt soll davon erfahren!«

Von diesem Tag an gab sie Parvana ein kleines Päckchen Nan zum Mittagessen mit. »Weil du ja zu Mittag nicht hier sein kannst!« Obwohl Parvana immer sehr hungrig wurde, konnte sie es nicht über sich bringen, inmitten von Knochen und Gräbern zu essen. Sie gab ihr Nan einem der vielen Bettler von Kabul, so hatte es wenigstens einen guten Zweck.

Nach zwei Wochen hatten sie genug Geld, um die Bauchladen-Tabletts zu kaufen. Sie hatten Tragriemen, die man um den Nacken legte.

»Wir sollten Sachen verkaufen, die nicht zu schwer sind«, sagte Shauzia. Sie entschieden sich für Zigaretten, die sie in großen Kartons kauften und päckchenweise wieder verkauften. Sie boten auch Kaugummi an, in Päckchen und manchmal auch einzeln. Streichholzschachteln füllten die leeren Stellen auf den Tabletts.

»Vorbei sind meine Zeiten als Teejunge!«, sagte Shauzia fröhlich.

»Ich bin bloß froh, dass ich nicht mehr auf den Friedhof gehe«, sagte Parvana, während sie übte, den Bauchladen beim Gehen gerade zu halten und so auszubalancieren, dass nicht all die schönen Sachen in den Staub fielen.

Der erste Vormittag, an dem sie wieder auf der Decke beim Briefe-Vorlesen saß, war schon fast vorbei, als ihr wieder etwas auf den Kopf fiel.

Ihr Zielen wird immer besser, dachte Parvana. Zweimal hintereinander hat sie mich direkt getroffen!

Diesmal war das Geschenk eine einzelne rote Holzperle. Parvana rollte sie zwischen ihren Fingern und dachte über die Frau nach, die ihr die Perle geschenkt hatte.

Jetzt wo der Friedhofs-Job vorbei war, ging sie auch wieder jeden Mittag mit Nooria und den Kleinen ins Freie. Nooria hatte sich verändert. Sie hatte seit Ewigkeiten nichts Hässliches mehr zu Parvana gesagt.

Oder vielleicht habe ich mich verändert, dachte Parvana. Ich lass mich einfach nicht mehr so leicht auf einen Streit mit Nooria ein.

Am Nachmittag traf sie sich mit Shauzia und die beiden Mädchen wanderten durch Kabul auf der Suche nach Kunden. Sie verdienten nicht so viel wie beim Knochenausgraben, aber doch genug. Parvana lernte Kabul kennen.

»Dort drüben ist eine Menschenmenge«, sagte Shauzia an einem Freitagnachmittag und zeigte auf das Fußballstadion. Tausende Menschen drängten sich in die Ränge.

»Wunderbar!«, rief Parvana. »Während eines Fußballmatchs wollen die Leute rauchen und Kaugummi kauen. Wir werden alles verkaufen! Los, gehen wir hin!«

Sie liefen zum Eingang des Stadions hinüber, so schnell sie konnten, ohne dass die Zigaretten zu Boden fielen. Einige Taliban-Soldaten schoben und stießen die Zuschauer durch die Eingangstore, sie schwangen ihre Stöcke, um die Langsamen anzutreiben.

»Weichen wir diesen Kerlen aus«, schlug Shauzia vor. Sie und Parvana schlüpften zwischen einigen Gruppen von Männern durch ins Stadion.

Die Bänke waren fast voll. Die beiden Mädchen waren ein wenig eingeschüchtert von den vielen Menschen, und sie blieben dicht beisammen, als sie die Zuschauerreihen hinaufstiegen, um ihre Waren anzubieten.

»Es ist komisch ruhig für ein Fußballspiel«, meinte Shauzia.

»Das Spiel hat ja noch nicht begonnen. Vielleicht fangen sie erst mit dem Schreien und Anfeuern an, wenn die Spieler aufs Feld kommen«, sagte Parvana. Sie hatte früher Fußballmatchs im Fernsehen gesehen, da hatten die Zuschauer immer viel geschrien.

Aber hier waren alle still. Die Männer sahen auch nicht begeistert aus, wie sonst die Zuschauer bei einem Fußballspiel.

»Das ist doch wirklich seltsam«, flüsterte Parvana in Shauzias Ohr.

»Vorsicht!« Eine Gruppe Taliban-Soldaten ging nicht weit von ihnen auf das Fußballfeld. Die Mädchen duckten sich so tief, dass sie gerade noch das Feld beobachten konnten, ohne selbst von den Taliban gesehen zu werden.

»Gehen wir!«, sagte Shauzia. »Kein Mensch kauft uns hier etwas ab. Ich weiß nicht, warum, aber ich fürchte mich!«

»Sobald das Spiel anfängt, gehen wir«, sagte Parvana. »Wenn wir jetzt hinausgehen, fallen wir den Leuten auf!«

Noch mehr Männer kamen auf das Spielfeld, aber es waren keine Fußballspieler. Einige Männer wurden herbeigeführt, sie hatten die Hände auf dem Rücken zusammengebunden. Zwei Soldaten schleppten einen schweren Tisch herbei.

»Ich glaube, diese Männer sind Gefangene«, flüsterte Shauzia.

»Aber was machen Gefangene bei einem Fußballspiel?«, flüsterte Parvana zurück. Shauzia zuckte die Achseln.

Einer der Männer wurde losgebunden und musste sich mit dem Oberkörper auf den Tisch legen. Seine Arme waren auf der Tischplatte ausgestreckt. Einige Soldaten hielten ihn fest.

Parvana starrte voll Staunen auf das, was da auf dem Fußballfeld vor sich ging. Wo waren die Fußballer?

Plötzlich packte einer der Soldaten ein Schwert, hob es über den Kopf und ließ es auf einen Arm des Mannes niedersausen. Blut spritzte. Der Mann schrie laut auf.

Shauzia neben Parvana begann zu kreischen. Parvana legte ihr die Hand auf den Mund und zog sie auf den Fußboden zwischen den Sesselreihen des Stadions. Alle anderen waren ganz ruhig. Keiner jubelte, keiner feuerte an.

»Lasst eure Köpfe unten, Jungen«, sagte eine freundliche Stimme oberhalb von Parvana. »Es ist früh genug, wenn ihr solche Dinge als Erwachsene zu sehen bekommt.«

Die Zigaretten und Kaugummis waren zu Boden gefallen, aber die Männer rundum hoben die verstreuten Sachen auf und gaben sie den Kindern zurück.

Parvana und Shauzia blieben geduckt zu Füßen der Männer hocken. Sie hörten, wie das Schwert sechs weitere Arme abhackte. »Diese Männer sind Diebe!«, riefen die Soldaten der Menge zu. »Seht ihr, wie wir Diebe bestrafen?! Wir hacken ihnen die Hände ab! Schaut nur genau zu!«

Parvana und Shauzia schauten nicht zu. Sie blieben mit den Köpfen unten, bis der Mann mit der freundlichen Stimme sagte: »Jetzt ist es wieder vorbei bis zum nächsten Freitag. Kommt, ihr Jungen, steht auf!«

Er und einige andere umringten Parvana und Shauzia und geleiteten sie aus dem Stadion.

Bevor sie hinausgingen, erblickte Parvana einen jungen Talib, so jung, dass er noch gar keinen Bart hatte.

Er hielt ein Seil in der Hand, an das vier abgetrennte Hände gebunden waren, wie Perlen an einer Kette. Er lachte und zeigte der Menschenmenge seine Beute. Parvana hoffte, dass Shauzia es nicht gesehen hatte.

»Geht nach Hause, Jungen«, sagte der freundliche Mann. »Geht nach Hause und denkt an schönere Dinge!«

12. Kapitel

Parvana blieb einige Tage zu Hause. Sie holte Wasser und ging mit Nooria und den Kleinen in die Sonne, aber davon abgesehen, wollte sie bei ihrer Familie bleiben.

»Ich brauche eine Erholungspause«, erklärte sie der Mutter. »Ich möchte eine Zeit lang keine Scheußlichkeiten mehr sehen!«

Die Mutter und Mrs Weera hatten schon vorher von anderen Frauen aus der Organisation von den Ereignissen im Stadion gehört. Manche von ihnen hatten Männer oder Brüder, die dort gewesen waren. »Das geschieht jeden Freitag«, sagte die Mutter. »In welchem Jahrhundert leben wir?!«

Werden sie Vater dorthin bringen?, wollte Parvana fragen, aber sie sagte es nicht. Die Mutter würde es auch nicht wissen.

Während sie zu Hause blieb, half Parvana Maryam beim Zählenlernen, versuchte, von Nooria flicken zu lernen, und hörte Mrs Weeras Geschichten zu. Sie waren nicht so interessant wie die Geschichten ihres Vaters, zumeist waren es Beschreibungen von Hockeyspielen oder Leichtathletik-Wettkämpfen. Aber sie waren trotzdem unterhaltend, und Mrs Weera war so begeistert, dass sie auch ihre Zuhörer dafür begeistern konnte.

Keiner sagte etwas zu Parvana, als das Brot im Haus zu Ende war, aber sie ging von selbst an diesem Tag wieder arbeiten. Manche Dinge müssen einfach getan werden.

»Ich bin froh, dass du wieder da bist!«, sagte Shauzia, als sie Parvana auf dem Markt traf. »Du hast mir gefehlt. Wo warst du?«

»Mir war nicht nach arbeiten«, antwortete Parvana. »Ich wollte ein paar Tage Ruhe haben.«

»Ich hätte auch nichts dagegen, aber ich habe hier mehr Ruhe als bei mir zu Hause!«

»Gibt es noch immer andauernd Streit in deiner Familie?«

Shauzia nickte. »Die Eltern meines Vaters haben meine Mutter nie gemocht. Nun sind sie von ihr abhängig. Das macht sie gereizt und unausstehlich. Und die Mutter ist verdrießlich, weil wir nirgendwo anders hingehen können und daher mit den Großeltern leben müssen. So ist jeder ständig schlecht gelaunt. Und wenn sie nicht streiten, sitzen sie da und starren einander böse an.«

Parvana dachte daran, wie ihr manchmal zumute war, wenn alle mit zusammengepressten Lippen herumgingen, unvergossene Tränen in den Augen. Aber bei Shauzia schien es noch viel schlimmer zu sein.

»Kann ich dir ein Geheimnis anvertrauen?«, fragte Shauzia.

»Natürlich! Ich werde es keiner Menschenseele verraten!«

Shauzia führte Parvana zu einer Mauer und sie setzten sich nieder. »Ich spare Geld«, sagte sie. »Jeden Tag ein bisschen. Ich will weg von hier.«

»Wohin? Wann?«

Shauzia klopfte mit dem Fuß einen Rhythmus gegen die Wand, aber Parvana hielt sie davon ab. Sie hatte einmal gesehen, wie die Taliban ein Kind geprügelt hatten, weil es auf ein altes Brett wie auf eine Trommel geschlagen hatte. Die Taliban hassten jede Art von Musik.

»Ich bleibe noch bis zum nächsten Frühling«, sagte Shauzia. »Dann habe ich genug gespart, und es ist besser, nicht im Winter zu reisen.«

»Glaubst du, müssen wir im Frühling immer noch Jungen sein? Das ist noch so lange bis dahin!«

»Ich möchte immer ein Junge bleiben«, antwortete Shauzia. »Als Mädchen bin ich zu Hause eingesperrt. Das halte ich nicht aus!«

»Wohin willst du gehen?«

»Nach Frankreich ... mit einem Schiff.«

»Warum nach Frankreich?«, fragte Parvana.

Shauzias Gesicht leuchtete auf. »Auf jedem Bild, das ich bisher von Frankreich gesehen habe, scheint die Sonne, die Leute lächeln und die Blumen blühen. Die Menschen in Frankreich haben sicher auch schlimme Zeiten, aber ich glaube, die sind nicht so schlimm wie hier. Auf einem Bild war ein riesiges Feld voll purpurfarbener Blumen. Dort will ich hin. Ich möchte mich mitten in diesem Feld hinsetzen und an gar nichts denken!«

Parvana versuchte, sich die Weltkarte vorzustellen. »Ich weiß nicht, ob du mit dem Schiff nach Frankreich fahren kannst!«

»Doch, sicher! Ich hab das alles schon herausgefunden. Ich werde einer Schar Nomaden erzählen, ich sei ein armer Waisenjunge, und werde mit ihnen nach Pakistan reisen. Mein Vater hat mir erzählt, die Nomaden wandern jedes Jahr mit ihren Herden nach Pakistan und zurück, auf der Suche nach Futter für ihre Schafe. In Pakistan geh ich zum Arabischen Meer hinunter und an Bord eines Schiffes. Und dann fahre ich nach Frankreich!« Sie tat, als wäre das die einfachste Sache der Welt. »Vielleicht werde ich mit dem ersten Schiff nicht gleich bis Frankreich kommen, aber zumindest bin ich weg von hier. Alles wird ganz leicht, wenn ich nur einmal weg bin von hier!«

»Du willst ganz allein sein!« Parvana konnte sich nicht vorstellen, eine solche Reise alleine zu unternehmen.

»Wer kümmert sich schon um einen kleinen Waisenjungen?«, antwortete Shauzia. »Kein Mensch wird mich beachten. Ich hoffe nur, ich hab nicht zu lange gewartet.«

»Wie meinst du das?«

»Ich fange an zu wachsen.« Ihre Stimme wurde zu einem Flüstern. »Mein Körper verändert sich langsam. Wenn er sich zu sehr verändert, sehe ich wie ein Mädchen aus, und dann steck ich für immer hier fest. Du glaubst doch nicht, dass ich zu schnell wachse? Vielleicht sollte ich doch schon vor dem Frühling los. Nicht dass die Dinger plötzlich aus mir herausschießen.«

Parvana wollte nicht, dass Shauzia sie verließ, aber sie versuchte, zu der Freundin ehrlich zu sein. »Ich weiß nicht mehr genau, wie das bei Nooria war. Ich hab vor allem auf ihre Haare geachtet. Aber ich glaube nicht, dass Wachsen ganz plötzlich passiert. Ich würde sagen, du hast noch Zeit.«

Shauzia fing wieder an, gegen die Wand zu trommeln. Dann stand sie auf, um dieser Versuchung zu entgehen.

»Das hoffe ich«, sagte sie.

»Du willst deine Familie im Stich lassen? Wie sollen sie ihr Essen verdienen?«

»Ich kann ihnen nicht helfen!« Shauzias Worte klangen, als würde sie mit den Tränen kämpfen. »Ich muss einfach weg von hier! Ich weiß, ich bin schlecht, wenn ich einfach abhaue, aber was soll ich tun? Wenn ich hier bleibe, sterbe ich!«

Parvana erinnerte sich an die Streitgespräche zwischen ihrem Vater und ihrer Mutter. Ihre Mutter hatte unbedingt aus Afghanistan fliehen wollen, ihr Vater aber hatte darauf bestanden, dass sie hier blieben. Zum ersten Mal überlegte Parvana, warum die Mutter nicht einfach gegangen war. Aber sie wusste sofort eine Antwort auf diese Frage: Die Mutter konnte sich nicht einfach davonmachen, mit vier Kindern.

»Ich möchte am liebsten ein ganz normales Kind sein«, sagte Parvana. »Ich möchte in einer Klasse sitzen und nach Hause gehen und essen, was ein anderer verdient hat. Ich will, dass mein Vater wiederkommt, und ich will ein ganz normales, langweiliges Leben haben!«

»Ich glaube, ich kann nie wieder in einer Klasse sitzen«, sagte Shauzia. »Nicht nach alldem!« Sie ordnete die Waren auf ihrem Tablett. »Du wirst mein Geheimnis niemandem verraten?«

Parvana nickte.

»Möchtest du nicht mit mir kommen?«, fragte Shauzia. »Dann wären wir nicht allein.«

»Ich weiß nicht…« Parvana konnte Afghanistan verlassen, aber konnte sie ihre Familie verlassen? Eher nicht.

»Ich hab auch ein Geheimnis«, sagte sie und holte die kleinen Geschenke aus ihrer Tasche hervor, die sie von der Fensterfrau bekommen hatte.

»Toll!«, sagte Shauzia. »Das ist ja geheimnisvoll! Wer mag diese Frau sein? Vielleicht eine Prinzessin?«

»Vielleicht können wir sie retten!«, meinte Parvana. Sie sah sich schon die Wand hinaufklettern, das schwarz bemalte Fenster mit der nackten Faust einschlagen und der Prinzessin herunterhelfen. Diese trug ein seidenes Kleid und kostbaren Schmuck. Parvana würde sie auf ihr schnelles Pferd heben und in einer Staubwolke durch Kabul davonsprengen.

»Ich brauche ein schnelles Pferd«, sagte sie.

»Wie wär's mit einem von denen da?«, fragte Shauzia und zeigte auf eine Herde langhaariger Schafe, die im Müll auf dem Markt nach Essbarem schnüffelten.

Parvana lachte und die Mädchen gingen an ihre Arbeit.

Auf Vorschlag der Mutter hatten sie ein paar Kilo getrocknete Früchte und Nüsse gekauft. Nooria und Maryam hatten sie in kleine Säckchen verpackt, um sie zu verkaufen. Am Nachmittag wanderten die Mädchen auf dem Markt umher und hielten nach Kunden Ausschau. Manchmal gingen sie zum Busbahnhof, aber dort hatten sie viel Konkurrenz. Viele Jungen versuchten dort, Sachen zu verkaufen. Die Jungen stellten sich direkt vor die Leute hin und sprachen sie an:

»Kauft meinen Kaugummi! Kaufen Sie mir Früchte ab! Kaufen Sie meine Zigaretten!« Parvana und Shauzia waren zu scheu dazu. Sie warteten lieber, bis die Leute, die etwas kaufen wollten, zu ihnen kamen.

Parvana war müde. Sie wollte in der Schule sitzen und sich in einer Geografiestunde langweilen. Sie wollte mit ihren Freundinnen über Hausübungen schimpfen und über Spiele reden, und darüber, was sie in den Ferien vorhatten. Sie wollte nichts mehr wissen von Tod und Blut und Leid.

Der Marktplatz war nicht länger interessant und spannend für sie. Sie lachte nicht mehr, wenn ein Mann mit einem störrischen Esel diskutierte. Sie hatte kein Interesse mehr an den Gesprächsfetzen, die sie von den vorübergehenden Männern aufschnappte. Überall rundum waren die Menschen hungrig und traurig und müde. Frauen in Burkas saßen auf dem Gehsteig, ihre Babys auf dem Schoß, und bettelten.

Und es war kein Ende abzusehen. Das waren keine Sommerferien, nach denen das Leben wieder normal würde. Das war das Normale und Parvana hatte es satt!

Der Sommer kam nach Kabul. Blumen blühten aus dem Schutt, ohne sich um die Taliban oder um Landminen zu kümmern. Sie blühten wie in Friedenszeiten.

Zu Hause, in dem Zimmer mit dem winzigen Fenster, wurde es während der langen Junitage sehr heiß. Die Kleinen konnten in der Hitze nicht schlafen und quengelten und weinten ständig. Sogar Maryam verlor ihre gute Laune und jammerte nur. Parvana war froh, dass sie morgens weggehen konnte.

Der Sommer brachte Obst aus den fruchtbaren Tälern nach Kabul, aus jenen Tälern, die nicht von Bomben und Minen völlig zerstört worden waren. An den Tagen, an denen sie ein wenig mehr verdiente, nahm Parvana Leckerbissen für ihre Familie mit nach Hause. Einmal gab es Pfirsiche, dann wieder Pflaumen.

Händler aus ganz Afghanistan kamen über die schneefreien Pässe nach Kabul. Von ihrer Decke auf dem Markt, und wenn sie mit Shauzia mit dem Bauchladen herumspazierte, sah Parvana Leute aus Bamian, aus der Registan-Wüste nahe Kandahar, und aus dem Wachan-Korridor an der chinesischen Grenze. Manche dieser Männer blieben stehen und kauften Parvana getrocknete Früchte oder Zigaretten ab, manche hatten einen Brief zu lesen oder zu schreiben. Und immer fragte Parvana sie, woher sie kamen und wie es dort aussah, damit sie ihrer Familie etwas zu erzählen hatte. Manchmal erzählten die Männer vom Wetter, manchmal erzählten sie von den wunderschönen Bergen oder von den blühenden Schlafmohnfeldern. Manchmal erzählten die Männer Parvana vom Krieg, von Schlachten, die sie gesehen, und Menschen, die sie verloren hatten. Parvana merkte sich das alles und berichtete es zu Hause ihrer Familie.

Die Mutter und Mrs Weera hatten mithilfe der Frauengruppe eine kleine Mädchenschule gegründet. Nooria war die Lehrerin. Die Taliban würden jede Schule, die sie entdeckten, sofort schließen, deshalb waren Nooria und Mrs Weera sehr vorsichtig. Die Schule war nur für fünf kleine Mädchen, Maryam mit eingeschlossen, alle ungefähr im gleichen Alter. Sie wurden in zwei Gruppen unterrichtet, niemals zwei Tage hintereinander zur gleichen Zeit. Einmal kamen die Schülerinnen zu Nooria, einmal ging Nooria zu den Schülerinnen. Manchmal begleitete Parvana die Schwester, dann wieder schleppte Nooria den widerstrebenden Ali mit sich.

»Er wird schon bald zu groß zum Herumtragen«, sagte Nooria zu Parvana auf einem ihrer mittäglichen Spaziergänge. Die Mutter hatte Nooria erlaubt, Ali zu Hause zu lassen, um einmal ein wenig Ruhe von ihm zu haben. Sie hatten nur Maryam bei sich, aber die störte nicht.

»Wie geht es dir mit der Schule?«

»Die Mädchen können nicht viel lernen in den paar Stunden in der Woche«, antwortete Nooria. »Und wir haben auch keine Bücher und keine Materialien, überhaupt nichts! Aber ich glaube, es ist besser als gar nichts.«

Kleine Geschenke von der Fensterfrau landeten weiterhin alle paar Wochen auf Parvanas Decke. Einmal war es ein Stückchen Stickerei, ein anderes Mal eine Süßigkeit oder eine einzelne Perle.

Es war, als wollte die Frau am Fenster sagen: »Es gibt mich noch!«, auf die einzige Art, wie sie es sagen konnte. Parvana untersuchte immer sorgfältig den Platz um die Decke herum, wenn sie den Markt verließ, für den Fall, dass ein kleines Geschenk hinuntergerollt war.

Eines Nachmittags hörte sie von oben die zornige Stimme eines Mannes. Er brüllte eine Frau an, die weinte und schrie. Parvana hörte Schläge und lautes Weinen. Ohne nachzudenken, sprang sie auf und schaute zum Fenster hinauf, aber sie konnte durch die schwarz übermalte Scheibe nichts sehen.

»Was ein Mann in seinem eigenen Haus tut, ist seine Sache«, sagte eine Stimme hinter ihr. Sie drehte sich um und sah einen Mann mit einem Kuvert in der Hand. »Vergiss das da oben und denk an deine eigenen Geschäfte. Ich habe einen Brief zu lesen.«

Parvana wollte ihrer Familie von dem Zwischenfall erzählen, aber sie hatte keine Gelegenheit dazu. Stattdessen hatte die Familie ihr etwas zu erzählen.

»Du wirst es nie erraten«, sagte die Mutter. »Nooria wird heiraten!«

13. Kapitel

»Aber du hast ihn doch noch nie getroffen!«, rief Parvana bei ihrem Mittagsspaziergang am nächsten Tag. Es war die erste Gelegenheit, wo Nooria und sie alleine miteinander sprechen konnten.

»Natürlich habe ich ihn getroffen. Sie waren jahrelang unsere Nachbarn.«

»Ja, aber da war er ja noch ein kleiner Junge. Ich hab geglaubt, du willst wieder zur Schule gehen.«

»Ich werde wieder zur Schule gehen«, sagte Nooria. »Hast du überhaupt nicht zugehört, was Mutter gestern Abend gesagt hat? Ich werde in Mazar-e-Sharif leben, im Norden. Dort, in diesem Teil von Afghanistan, sind keine Taliban. Mädchen dürfen dort zur Schule gehen. Seine Eltern sind beide gebildete Menschen. Ich darf die Schule fertig machen und sie werden mich nachher sogar auf die Universität in Mazar gehen lassen.«

Das alles stand in einem Brief, der letzte Woche, als Parvana auf dem Markt war, angekommen war. Die Frauen aus der Familie des Bräutigams gehörten zu derselben Frauenorganisation wie die Mutter. Der Brief war von Frau zu Frau weitergegeben worden, bis er endlich bei der Mutter gelandet war. Parvana hatte den Brief auch gelesen, aber sie hatte immer noch viele Fragen.

»Willst du das wirklich, Nooria?«

Nooria nickte. »Schau dir doch mein Leben hier an, Parvana. Ich hasse es, unter den Taliban zu leben. Ich habe es satt, dauernd nur auf die Kleinen aufzupassen. Der Unterricht in unserer Schule ist so selten, dass er fast keinen Sinn hat. Ich habe hier keine Zukunft. In Mazar kann ich zur Schule gehen, ich kann auf den Straßen herumlaufen, ohne eine Burka zu tragen, und wenn ich mit der Schule fertig bin, kann ich arbeiten gehen. In Mazar kann ich vielleicht ein erträgliches Leben führen. Ja, ich will das unbedingt!«

In den folgenden Tagen gab es viele Diskussionen, wie es nun weitergehen würde. Parvana hatte in diesen Diskussionen nichts zu sagen. Sie wurde bloß von den Plänen und Beschlüssen informiert, wenn sie am Abend nach Hause kam.

»Wir werden alle nach Mazar zur Hochzeit fahren«, teilte ihr die Mutter mit. »Während der Hochzeitsvorbereitungen können wir bei der Tante wohnen. Dann wird Nooria bei ihrer neuen Familie bleiben und wir werden im Oktober nach Kabul zurückkehren.«

»Wir können Kabul nicht verlassen!«, rief Parvana. »Was ist mit Vater? Was ist, wenn er aus dem Gefängnis kommt und wir nicht hier sind? Wie soll er wissen, wo er uns finden kann?«

»Ich bleibe hier«, sagte Mrs Weera. »Ich kann eurem Vater sagen, wo ihr seid, und ich werde mich um ihn kümmern, bis ihr zurückkommt.«

»Ich kann Nooria nicht alleine nach Mazar fahren lassen!«, sagte die Mutter. »Und du bist noch ein Kind, deshalb musst du mit uns kommen.«

»Ich bleibe hier!«, rief Parvana. Sie stampfte sogar mit dem Fuß auf.

»Du wirst das tun, was man dir sagt«, erwiderte die Mutter. »Es tut dir eindeutig nicht gut, dass du so viel allein auf der Straße herumläufst. Du glaubst wohl, du kannst über dich bestimmen!«

»Ich gehe nicht nach Mazar!«, wiederholte Parvana und stampfte noch einmal auf.

»Wenn dein Fuß unbedingt Bewegung braucht, dann mach

einen kleinen Spaziergang zum Wasserhahn«, sagte Mrs Weera. Parvana nahm den Eimer und knallte mit Genuss die Tür hinter sich zu.

Sie schmollte drei Tage lang. Schließlich sagte die Mutter: »Du kannst wieder wie ein normaler Mensch dreinschauen. Wir haben beschlossen, dass du doch hier bleibst. Nicht weil du dich so schlecht benommen hast. Ein elfjähriges Kind hat seiner Mutter nicht zu sagen, was es will oder nicht will. Wir lassen dich deshalb da, weil es zu schwierig wäre, deine Kleidung zu erklären. Deine Tante würde das Geheimnis natürlich nicht verraten, aber wir können uns nicht darauf verlassen, dass alle so verschwiegen sind. Es ist einfach zu riskant, dass etwas durchsickert, wenn du wieder da bist.«

Parvana war zwar froh, dass sie in Kabul bleiben durfte, aber sie war trotzdem gekränkt, dass sie nicht mitfahren konnte.

»Ich bin mit gar nichts mehr zufrieden«, beklagte sie sich bei Shauzia.

»Ich auch nicht«, antwortete Shauzia. »Ich hab immer geglaubt, wenn ich einmal einen Bauchladen habe und Sachen verkaufen kann, werde ich glücklich sein. Aber ich bin überhaupt nicht glücklich. Ich verdiene zwar mehr Geld als ein Teejunge, aber nicht genug, dass es wirklich einen Unterschied macht. Wir sind immer noch hungrig. Meine Familie streitet immer noch die ganze Zeit, nichts ist besser geworden.«

»Und was siehst du für eine Lösung?«

»Vielleicht sollte jemand eine riesengroße Bombe auf dieses Land werfen, dann können wir ganz von vorne anfangen.«

»Das haben sie ja versucht«, entgegnete Parvana. »Aber es ist damit alles noch viel schlimmer geworden.«

Eine der Frauen der Frauenorganisation fuhr mit Parvanas Familie nach Mazar. Ihr Mann kam auch mit, als offizielle Begleitung. Sollten die Taliban neugierige Fragen stellen, dann war die Mutter die Schwester des Mannes und Nooria, Maryam und Ali waren seine Nichten und sein Neffe.

Nooria putzte ein letztes Mal den Kasten. Parvana sah ihr zu, wie sie ihre Sachen einpackte. »Wenn alles gut geht, sind wir in ein paar Tagen in Mazar«, sagte Nooria.

»Fürchtest du dich?«, fragte Parvana. »Es ist eine lange Reise.«

»Ich muss immer denken, was alles schief gehen kann, aber Mutter sagt, es wird alles wunderbar klappen.« Sie würden auf der Ladefläche eines Lastwagens fahren. »Und sobald ich aus dem Gebiet der Taliban komme, zieh ich meine Burka aus und zerreiße sie in tausend Stücke!«

Parvana kaufte am nächsten Tag auf dem Markt etwas Reiseproviant für ihre Familie. Sie wollte auch ein Geschenk für Nooria kaufen. Langsam schlenderte sie über den Markt und betrachtete die Sachen, die zum Verkauf angeboten wurden. Schließlich entschied sie sich für eine Füllfeder in einer perlengeschmückten Schachtel. Wenn Nooria sie auf der Universität benutzte, und später, wenn sie als richtige Lehrerin in einer Schule unterrichtete, würde sie an Parvana denken.

»Der Sommer geht schnell vorüber«, meinte die Mutter am Abend vor der Abreise. »Du wirst mit Mrs Weera gut auskommen. Tu, was sie dir sagt, und benimm dich ordentlich!« »Parvana und ich werden uns wunderbar vertragen«, sagte Mrs Weera. »Und wenn du zurückkommst, wird unsere Zeitschrift frisch gedruckt aus Pakistan da sein, fertig zum Verteilen!«

Am nächsten Tag brachen sie sehr früh auf. Der Morgen an diesem Sommertag Mitte Juli war kühl, aber die Hitze der kommenden Stunden lag schon in der Luft.

»Wir gehen lieber gleich«, sagte die Mutter. Weil gerade niemand auf der Straße war, hatten die Mutter, Nooria und Mrs Weera ihre Burkas zurückgeschlagen, sodass man ihre Gesichter sehen konnte.

Parvana küsste Ali, der noch müde und quengelig war, weil man ihn so früh geweckt hatte. Die Mutter setzte ihn auf den Boden des Lastwagens. Parvana sagte Maryam Lebewohl und hob auch sie auf die Ladefläche hinauf.

»Also, bis Mitte September ungefähr«, sagte die Mutter, als sie Parvana umarmte. »Sieh zu, dass ich stolz auf dich sein kann!«

»Mach ich«, versprach Parvana und bemühte sich, die Tränen zurückzuhalten.

»Ich weiß nicht, wann wir einander wieder sehen werden«, sagte Nooria, bevor sie auf den Lastwagen kletterte. Parvanas Geschenk hielt sie fest in der Hand.

»Es wird nicht lange dauern«, sagte Parvana, durch die Tränen lächelnd. »Sobald dein junger Ehemann merkt, wie rechthaberisch du bist, wird er dich so schnell wie möglich nach Kabul zurückschicken!«

Nooria lachte und kletterte auf den Lastwagen. Sie und die Mutter verbargen sich unter den Burkas. Die Frau aus der Organisation und ihr Mann saßen vorn im Führerhaus. Parvana und Mrs Weera winkten, solange sie den Wagen sehen konnten.

»Wir können beide eine Tasse Tee vertragen«, meinte Mrs Weera, als sie die Stufen hinaufstiegen.

Parvana fand die nächsten Wochen sehr seltsam. Das Zimmer wirkte fast leer. Es waren ja nur sie selbst, Mrs Weera und ihr Enkelkind da. Weniger Leute, das bedeutete weniger Hausarbeit, weniger Lärm und mehr Freizeit. Aber Parvana vermisste sogar Alis Geschrei. Als die Wochen vergingen, freute sie sich mehr und mehr auf die Rückkehr ihrer Familie.

Trotzdem war sie froh, mehr Zeit für sich zu haben. Zum ersten Mal seit Vaters Verhaftung holte sie seine Bücher aus dem Versteck im Kasten hervor. Abends las sie oder hörte Mrs Weeras Erzählungen zu.

Mrs Weera fand es richtig, Parvana zu vertrauen. »In manchen Gegenden dieses Landes werden Mädchen in deinem Alter verheiratet und bekommen Kinder«, sagte sie. »Ich bin für dich da, wenn du mich brauchst, aber wenn du für dich selbst verantwortlich sein willst, dann ist das auch in Ordnung.«

Sie wollte, dass Parvana einen Teil ihres Verdienstes als Taschengeld behielt. So lud Parvana manchmal mittags Shauzia auf einen Imbiss an einem der Kebab-Stände ein. Sie suchten sich einen geschützten Platz, wo sie auf die Toilette gehen konnten, und Parvana blieb den ganzen Tag auf dem Markt. Sie kam lieber erst am Abend nach Hause, denn das hieß, dass es wieder ein Tag weniger war bis zur Rückkehr ihrer Familie.

Ende August gab es einmal einen schlimmen Regenguss. Shauzia war schon nach Hause gegangen. Sie hatte das Dunkelwerden des Himmels rechtzeitig erkannt und wollte nicht nass werden.

Parvana hatte das verpasst und wurde vom Regen erwischt. Sie bedeckte das Tablett mit den Armen, um die Zigaretten vor dem Nasswerden zu schützen, und schlüpfte in ein zerbombtes Haus. Hier wollte sie warten, bis der Regenguss vorüber war. Nach der Regen-Dunkelheit draußen war es im Inneren des Hauses noch dunkler. Es dauerte eine Welle, bis Parvanas Augen sich an die Finsternis gewöhnt hatten. Sie lehnte sich gegen den Türstock und schaute in den Regen hinaus, der den Staub auf Kabuls Straßen in Schlamm verwandelte.

Der Wind peitschte den Regen bis zu ihr hin und Parvana floh tiefer in das Gebäude hinein. Sie hoffte, es gäbe hier keine Minen, und setzte sich auf eine trockene Stelle auf den Boden. Das Trommeln des Regens machte sie schläfrig. Nach einer kleinen Weile war sie eingenickt.

Als Parvana aufwachte, hatte der Regen aufgehört, aber der Himmel war immer noch düster.

»Es muss schon spät sein«, sagte Parvana.

Da hörte sie ein leises Weinen. Das Weinen einer Frau.

14. Kapitel

Das Weinen klang zu sanft und zu traurig, als dass Parvana sich hätte fürchten können.

»Hallo?«, rief Parvana, nicht zu laut.

Parvana konnte die Frau nicht sehen, es war zu dunkel. Sie kramte auf ihrem Tablett nach einer Schachtel Streichhölzer, die sie zu den Zigaretten verkaufte, und strich ein Hölzchen an. Licht flammte auf. Parvana hielt die Flamme hoch und suchte nach der weinenden Frau.

Sie verbrauchte drei Hölzchen, bis sie die an einer Wand kauernde Gestalt entdeckte. Parvana zündete weitere Streichhölzer an, während sie vorsichtig auf die Frau zuging.

»Wie heißt du?«, fragte Parvana. Die Frau weinte weiter. »Ich werde dir meinen Namen sagen. Ich heiße Parvana. Ich sollte eigentlich sagen, ich heiße Kaseem, weil ich als Junge verkleidet bin, um Geld zu verdienen. Aber in Wirklichkeit bin ich ein Mädchen. Jetzt kennst du mein Geheimnis.«

Die Frau gab keine Antwort. Parvana blickte nach der Tür. Es wurde langsam spät. Wenn sie vor dem Beginn des abendlichen Ausgehverbotes nach Hause kommen wollte, musste sie bald gehen.

»Komm mit mir«, sagte Parvana. »Meine Mutter ist nicht da, aber Mrs Weera ist zu Hause. Sie wird mit jedem Problem fertig!« Wieder strich sie ein Zündholz an und hielt es hoch. Plötzlich fiel ihr auf, dass sie das Gesicht der Frau sehen konnte! Es war nicht verhüllt.

»Wo ist deine Burka?« Parvana blickte sich um, aber sie konnte keine sehen. »Bist du ohne Burka unterwegs?«

Die Frau nickte.

»Wieso bist du ohne Burka draußen? Dafür kannst du schrecklich bestraft werden!«

Die Frau schüttelte nur den Kopf.

Parvana hatte eine Idee. »Ich weiß einen Ausweg. Ich lauf nach Hause und borg mir Mrs Weeras Burka aus und bring sie dir. Dann gehen wir gemeinsam zu mir nach Hause. Einverstanden?«

Parvana wollte aufstehen, aber die Frau packte sie am Arm.

Wieder blickte Parvana zur Tür, in den hereinbrechenden Abend hinaus. »Ich muss Mrs Weera sagen, wo ich bin! Sie findet es in Ordnung, wenn ich am Tag weg bin. Aber wenn ich am Abend nicht zurückkomme, wird sie sich Sorgen machen!« Die Frau ließ Parvana noch immer nicht los.

Parvana wusste nicht, was sie jetzt tun sollte. Sie konnte unmöglich die ganze Nacht in dem Gebäude bleiben. Aber diese verängstigte Frau wollte auf keinen Fall alleine gelassen werden. Parvana kramte auf dem Tablett und fand zwei Säckchen mit getrockneten Früchten und Nüssen.

»Hier«, sagte sie und reichte der Frau eines. »Mit vollem Magen kann man besser denken!«

Die Frau verschluckte die Früchte und Nüsse beinahe alle auf einmal. »Du musst ja schrecklich hungrig sein«, sagte Parvana und gab ihr das zweite Säckchen. Sie selber nahm sich auch eines. Parvana kaute und überlegte, und schließlich entschied sie, was sie tun würde. »Ich hab einen Vorschlag: Es ist das Beste, was mir einfällt«, sagte sie. »Wenn du eine bessere Idee hast, dann sag sie mir. Wenn nicht, werden wir das tun, was ich jetzt sage. Wir warten, bis es ganz dunkel ist, dann gehen wir beide möglichst schnell zu mir nach Hause. Hast du einen Tschador?«

Die Frau schüttelte den Kopf. Parvana wünschte, sie hätte

ihren Pakul hier, aber es war ja Sommer, deshalb hatte sie ihn zu Hause gelassen.

»Einverstanden?«, fragte Parvana. Die Frau nickte.

»Gut. Ich glaube, wir sollten näher zur Tür gehen. Dann können wir, sobald es dunkel ist, aus dem Gebäude herausfinden, ohne ein Streichholz anzuzünden. Ich möchte keine Aufmerksamkeit erregen!«

Parvana schob die Frau zu einer Stelle in der Nähe der Tür, wo sie vor allen verborgen waren, die zufällig vorüberkamen. Schweigend warteten sie, bis es dunkel wurde.

Kabul war in der Nacht eine finstere Stadt. Seit mehr als zwanzig Jahren war abends Ausgangssperre. Viele Straßenlaternen waren von Bomben getroffen worden, und von denen, die noch standen, funktionierten die wenigsten.

»Kabul war früher einmal das heißeste Pflaster in Mittelasien«, erzählten Parvanas Eltern oft. »Wir sind um Mitternacht durch die Straßen spazieren gegangen und haben Eis gegessen. Etwas früher am Abend haben wir in Boutiquen, Buchhandlungen oder Schallplattengeschäften herumgestöbert. Kabul war eine fröhliche, moderne und lebendige Stadt.«

Parvana konnte sich nicht einmal annähernd vorstellen, wie es damals ausgesehen haben mochte.

Bald war es ziemlich dunkel.

»Bleib bei mir«, sagte Parvana. Das war ganz unnötig, denn die unbekannte Frau klammerte sich an ihre Hand. »Es ist nicht weit, aber ich weiß nicht, wie lange wir in der Dunkelheit brauchen. Keine Angst!« Parvana lächelte aufmunternd, es war ein etwas gezwungenes Lächeln. In dem Hauseingang war es zu dunkel, als dass die Frau das Lächeln hätte sehen können, aber es machte Parvana sicherer.

»Ich bin Malali, die die Truppen durch Feindesland führt«, murmelte sie. Das half auch, obwohl es nicht so einfach war, sich als Kriegsheldin zu fühlen mit einem Tablett voll Zigaretten um den Hals.

Die engen, verschlungenen Gässchen des Marktes sahen am Abend ganz anders aus als bei Tag. Parvana hörte den Widerhall ihrer Schritte in den engen Durchgängen. Sie wollte der Frau schon sagen: »Geh doch leiser!«, weil die Taliban es zum Verbrechen erklärt hatten, wenn Frauen beim Gehen Geräusche machten. Aber dann ließ sie es bleiben. Wenn die Taliban sie während der Ausgangssperre hier auf der Straße entdeckten, mit einer Frau ohne Burka und ohne Kopfbedeckung, war der Lärm ihrer Schritte das geringste Problem. Parvana erinnerte sich an die Szene im Stadion. Sie wollte gar nicht wissen, was die Taliban ihr und ihrer Gefährtin antun würden.

Plötzlich sah sie Scheinwerfer näher kommen und zog die Frau schnell in eine andere Bombenruine, bis der Lastwagen voll Soldaten vorübergefahren war. Ein paar schreckliche, endlose Sekunden lang glaubte Parvana sich verloren. Endlich fasste sie sich ein Herz, trat wieder auf die Straße hinaus und ging weiter. Ein paarmal stürzten sie fast auf dem unebenen Gehsteig voller Löcher. Als sie endlich in Parvanas Straße kamen, fing das Mädchen an zu laufen und zog die fremde Frau hinter sich her. Sie war jetzt von solcher Angst erfüllt, dass sie meinte, sie würde jeden Augenblick zusammenklappen, wenn sie nicht sofort nach Hause käme.

»Du bist zurück!« Mrs Weera war so erleichtert, dass sie Parvana und die fremde Frau gleichzeitig umarmte, ohne es sofort zu bemerken. »Oh, du hast jemanden mitgebracht! Herzlich willkommen, meine Liebe!« Dann warf sie der Frau einen erschrockenen und missbilligenden Blick zu. »Parvana! Du bist doch nicht so mit ihr durch die Straßen gegangen? Ohne Burka?!«

Parvana berichtete, was sie während des Wolkenbruches im

Haus erlebt hatte. »Sie ist in einer schlimmen Lage«, sagte sie. Mrs Weera legte, ohne zu zögern, ihren Arm um die junge Frau. »Wir werden später darüber sprechen. Erst einmal bekommst du warmes Wasser zum Waschen und ein warmes Essen. Du siehst nicht viel älter aus als Parvana!«

Parvana blickte ihre Gefährtin näher an. Sie hatte die junge Frau bisher noch nicht bei Licht gesehen. Sie wirkte jünger als Nooria.

»Bring mir saubere Kleider«, sagte Mrs Weera. Parvana holte einen von Mutters Shalwar Kameez aus dem Kasten und Mrs Weera ging mit der jungen Frau in den Waschraum und schloss die Tür hinter ihnen.

Parvana füllte den Bauchladen für den nächsten Tag auf, dann breitete sie ein Tuch für das Abendessen auf den Matten am Boden aus. Als sie Nan und Teetassen aufgedeckt hatte, erschien Mrs Weera mit ihrem Gast.

In Mutters Kleidern, mit frisch gewaschenem und gekämmtem Haar, sah die junge Frau weniger verängstigt aus und viel müder. Sie konnte noch eine halbe Tasse Tee trinken und ein paar Bissen Reis essen, dann schlief sie im Sitzen ein. Sie schlief noch, als Parvana am nächsten Morgen zur Arbeit ging. »Bitte hol mir noch Wasser, meine Liebe«, bat Mrs Weera, bevor Parvana auf den Markt ging. »Die Kleider des armen Kindes müssen dringend gewaschen werden!«

Am Abend endlich, nach dem Essen, war die junge Frau imstande zu erzählen, was sie erlebt hatte.

»Ich heiße Homa«, sagte sie. »Und ich bin aus Mazar-e-Sharif entkommen, kurz nachdem die Taliban die Stadt eingenommen hatten.«

»Die Taliban haben Mazar eingenommen!«, schrie Parvana. »Das kann nicht sein! Meine Mutter ist dort und mein Bruder und meine Schwestern!«

»Die Taliban sind in Mazar«, wiederholte Homa. »Sie gingen von Haus zu Haus und suchten nach Feinden. Sie kamen auch in mein Haus. Sie kamen einfach herein! Sie packten meinen Vater und meinen Bruder und zerrten sie hinaus. Sie haben sie direkt auf der Straße erschossen. Meine Mutter begann, auf sie einzuschlagen, und da haben sie auch sie erschossen. Ich bin ins Haus zurückgelaufen und hab mich in einem Wandschrank versteckt. Dort blieb ich lange, lange Zeit. Ich glaubte, sie würden auch mich töten, aber sie waren fertig damit, Menschen in meinem Haus umzubringen. Jetzt waren sie daran, Menschen in den Nachbarhäusern zu töten.

Schließlich wagte ich mich aus dem Wandschrank und schlich die Stiegen hinunter. Die ganze Straße war voll mit Toten. Ein paar Soldaten fuhren auf einem Lastwagen vorbei. Sie haben uns verboten, die Toten unserer Familie anzurühren, wir durften sie nicht einmal zudecken. Wir mussten in den Häusern bleiben, befahlen sie uns.

Ich hatte solche Angst, sie würden wieder zurückkommen und mich holen. Als es dunkel wurde, lief ich hinaus. Ich lief von Haus zu Haus. Überall lagen Tote. Die wilden Hunde auf der Straße hatten begonnen, die Leichen anzufressen, überall lagen Stücke von Toten auf den Gehsteigen und auf der Straße. Ich sah sogar einen Hund, der einen Menschenarm im Maul trug!

Ich konnte das nicht mehr aushalten. Auf der Straße stand ein Lastwagen mit laufendem Motor. Ich sprang hinten auf und versteckte mich unter den Säcken. Wohin auch immer der Lastwagen fährt, dachte ich, es kann nicht schlimmer sein als hier.

Wir fuhren lange, lange Zeit. Als der Lastwagen endlich an seinem Ziel war, waren wir in Kabul. Ich kletterte vom Wagen hinunter und versteckte mich im nächsten zerbombten Haus und dort hat Parvana mich gefunden.« Homa begann zu weinen. »Ich hab sie einfach dort gelassen! Ich hab meine Mutter und meinen Vater und meinen Bruder auf der Straße liegen lassen, wo die Hunde sie fressen!«

Mrs Weera legte den Arm um Homa, aber das Mädchen konnte sich nicht beruhigen. Sie weinte und weinte, bis sie vor Erschöpfung einschlief.

Parvana konnte sich vor Entsetzen nicht rühren. Sie brachte kein Wort hervor. Vor ihren Augen sah sie die Mutter, die Schwestern und den Bruder tot auf den Straßen einer fremden Stadt liegen.

»Es deutet nichts darauf hin, dass sie deine Familie umgebracht haben«, sagte Mrs Weera. »Deine Mutter ist eine sehr starke, energische Frau und Nooria auch. Wir müssen daran glauben, dass sie am Leben sind. Wir dürfen die Hoffnung nicht aufgeben!«

Parvana aber hatte momentan keine Hoffnung. Sie tat, was ihre Mutter getan hatte. Sie legte sich auf einen Toshak, wickelte sich in eine Decke und beschloss, für immer da liegen zu bleiben.

Zwei Tage lag sie auf dem Toshak. »So machen es die Frauen in unserer Familie, wenn sie verzweifelt sind«, sagte sie zu Mrs Weera.

»Ja, aber sie bleiben nicht für immer liegen«, sagte Mrs Weera. »Sie stehen wieder auf und kämpfen!«

Parvana gab keine Antwort. Sie wollte nicht mehr aufstehen. Sie war es müde, zu kämpfen.

Mrs Weera war sehr freundlich und geduldig mit ihr. Aber sie hatte alle Hände voll zu tun mit Homa und mit ihrem Enkelkind.

Am Nachmittag des zweiten Tages kam Shauzia.

»Ich bin froh, dich zu sehen!«, sagte Mrs Weera und deutete mit dem Kopf auf Parvana. Sie gingen miteinander auf den Treppenabsatz hinaus, um einen Augenblick lang außerhalb von Parvanas Hörweite zu reden. Dann kamen sie wieder zurück, und nachdem Shauzia einige Kübel Wasser geholt hatte, setzte sie sich neben Parvana auf den Toshak.

Sie sprach eine Weile von alltäglichen Dingen; wie ihre Geschäfte gewesen waren, über Leute, die sie am Markt gesehen hatte, über Gespräche mit Teejungen und anderen arbeitenden Burschen. Schließlich sagte sie: »Ich mag nicht alleine arbeiten. Der Markt ist nicht dasselbe, wenn du nicht da bist. Willst du nicht wieder zurückkommen?«

So gefragt, konnte Parvana nicht ablehnen, das war ihr klar. Sie hatte die ganze Zeit gewusst, dass sie einmal wieder aufstehen musste. Sie wollte nicht wirklich auf dem Toshak liegen bleiben, bis sie starb. Ein Teil von ihr wäre am liebsten vor allem davongelaufen, aber der andere Teil wollte aufstehen und leben und weiter Shauzias Freundin sein. Und mithilfe eines kleinen Anstoßes von Shauzia gewann dieser Teil.

Parvana stand auf und machte weiter wie bisher. Sie arbeitete auf dem Markt, holte Wasser, hörte Mrs Weeras Geschichten zu und lernte Homa näher kennen. Sie tat das alles, weil sie nicht wusste, was sie sonst hätte tun sollen. Aber sie bewegte sich durch diese Tage wie durch einen fürchterlichen Albtraum – einen Albtraum, aus dem es kein Erwachen am nächsten Morgen gab.

Dann, eines späten Nachmittags, kam Parvana von der Arbeit nach Hause und sah, wie zwei Männer vorsichtig ihrem Vater die Stufen zur Wohnung hinaufhalfen. Er lebte. Zumindest ein Teil des Albtraumes war vorbei.

15. Kapitel

Der Mann, der aus dem Gefängnis zurückkam, war kaum wieder zu erkennen. Aber auch wenn sein weißer Shalwar Kameez jetzt grau und schmutzig war und sein Gesicht abgezehrt und bleich, er war immer noch ihr Vater! Parvana hängte sich so fest an ihn, dass Mrs Weera sie wegziehen musste, damit der Vater sich hinlegen konnte.

»Wir haben ihn vor dem Gefängnis, auf dem Boden liegend, gefunden«, berichtete einer der Männer, die ihn nach Hause gebracht hatten. »Die Taliban hatten ihn freigelassen, aber er konnte alleine nicht weiter. Er sagte uns, wo er wohnt, und da haben mein Freund und ich ihn auf unseren Karachi gelegt und hierher gebracht.«

Parvana legte sich neben den Vater auf den Toshak, klammerte sich weinend an ihn. Sie merkte zwar, dass die Männer zum Tee blieben, aber erst, als sie aufstanden, um vor der abendlichen Ausgangssperre nach Hause zu kommen, erinnerte sie sich an ihre gute Erziehung und stand auf.

»Herzlichen Dank, dass ihr meinen Vater zurückgebracht habt!«, sagte sie.

Die Männer gingen. Parvana wollte sich wieder neben den Vater legen, aber Mrs Weera sagte: »Lass ihn ausruhen. Wir können morgen reden!«

Parvana gehorchte. Aber es dauerte viele Tage, bis es dem Vater, mit Mrs Weeras liebevoller Pflege, ein ganz klein wenig besser ging. Die meiste Zeit war er zu krank, zu erschöpft, um zu sprechen. Er hustete auch viel.

»Im Gefängnis war es sicher kalt und feucht«, sagte Mrs

Weera. Parvana half ihr, eine Fleischbrühe zu kochen und den Vater mit dem Löffel zu füttern, bis er aufrecht sitzen und selbst essen konnte.

Als es ihm endlich wieder so gut ging, dass er Parvanas neue Erscheinung richtig wahrnahm, fuhr er ihr mit der Hand durch die kurz geschnittenen Haare.

»Jetzt bist du gleichzeitig meine Tochter und mein Sohn!«, sagte er lächelnd.

Parvana ging viele, viele Male zum Wasserhahn hinunter. Im Gefängnis hatten sie den Vater schlimm geprügelt. Die Breiumschläge, die Mrs Weera auf seine Wunden legte, mussten häufig gewechselt und die Tücher gewaschen werden. Homa half auch mit. Vor allem beschäftigte sie Mrs Weeras kleine Enkelin, damit sie ruhig war und der Vater schlafen und sich ausruhen konnte.

Parvana störte es nicht, dass er noch nicht viel erzählte. Sie war überglücklich, dass er wieder zu Hause war. Parvana arbeitete den ganzen Tag und am Abend half sie Mrs Weera. Als der Vater sich ein wenig besser fühlte, las sie ihm aus seinen Büchern vor.

Homa hatte in der Schule Englisch gelernt. Als Parvana eines Abends nach Hause kam, hörte sie Homa und den Vater miteinander Englisch sprechen. Homas Worte kamen stockend, aber der Vater sprach fließend.

»Hast du heute wieder eine gebildete Frau mit nach Hause gebracht?«, fragte der Vater Parvana lächelnd.

»Nein, Vater«, antwortete Parvana. »Ich habe nur ein paar Zwiebeln gebracht.« Darüber mussten sie alle lachen, das erste herzliche Lachen seit langem.

Ein ganz großes Problem in Parvanas Leben war gelöst: Der Vater war zurück! Vielleicht würde auch die übrige Familie zurückkommen.

Parvana war jetzt voller Hoffnung. Auf dem Markt sprach sie nun die Kunden direkt an, wie die richtigen Jungen. Mrs Weera brauchte eine spezielle Medizin für den Vater, und Parvana arbeitete und arbeitete, bis sie genug Geld verdient hatte, um diese Medizin zu kaufen. Und die Medizin half.

»Jetzt habe ich etwas, wofür ich arbeite«, sagte sie zu Shauzia, als sie auf der Suche nach Kunden durch die Straßen gingen.

»Ich arbeite auch für etwas«, erwiderte Shauzia. »Ich arbeite dafür, dass ich von Afghanistan wegkomme!«

»Wird dir deine Familie nicht fehlen?«, fragte Parvana.

»Mein Großvater hat angefangen, sich nach einem Ehemann für mich umzusehen«, antwortete Shauzia. »Ich hab gelauscht, als er mit meiner Großmutter darüber gesprochen hat. Er will mich möglichst bald verheiraten, denn solange ich so jung bin, bekommt er einen guten Brautpreis für mich, und dann kriegen sie viel Geld.«

»Kann deine Mutter ihn nicht daran hindern?«

»Was kann sie tun? Sie muss in seinem Haus leben, sie hat keinen anderen Platz.« Shauzia blieb stehen und schaute Parvana an. »Ich ertrage es nicht, verheiratet zu werden! Ich will nicht verheiratet werden!«

»Aber wie wird deine Mutter ohne dich zurechtkommen? Wo sollen sie Geld fürs Essen herkriegen?!«

»Was kann ich denn machen?!«, schluchzte Shauzia. »Wenn ich hier bleibe und sie mich verheiraten, ist mein Leben vorbei. Wenn ich weggehe, hab ich zumindest eine Chance. Irgendwo auf der Welt muss es doch einen Platz für mich geben, wo ich leben kann! Ist es falsch, so zu denken?« Sie wischte die Tränen aus dem Gesicht. »Was soll ich denn sonst tun?«

Parvana wusste nicht, wie sie ihre Freundin trösten sollte.

Eines Tages hatte Mrs Weera eine Besucherin, eine Frau aus ihrer Organisation, die direkt aus Mazar kam. Parvana war auf dem Markt arbeiten, aber der Vater erzählte ihr am Abend, was die Frau gesagt hatte.

»Viele Leute sind aus Mazar geflohen«, sagte er. »Sie befinden sich in einem Flüchtlingslager außerhalb der Stadt.«

»Ist Mutter dort?«

»Möglicherweise. Das werden wir erst erfahren, wenn wir in diese Lager gehen und selbst nachsehen.«

»Aber wie können wir das tun? Bist du gesund genug für eine solche Reise?«

»Ich werde nie wieder gesund genug sein für eine solche Reise«, antwortete der Vater. »Aber wir werden trotzdem hinfahren.«

»Wann fahren wir?«, fragte Parvana.

»Sobald ich eine Transportmöglichkeit finde. Kannst du mit einer Botschaft zu den Männern gehen, die mich vom Gefängnis nach Hause gebracht haben? Mit ihrer Hilfe, glaube ich, könnten wir in ein paar Wochen unterwegs sein.«

Parvana hatte schon die ganze Zeit ihren Vater etwas fragen wollen: »Warum haben die Taliban dich freigelassen?«

»Ich weiß nicht einmal, warum sie mich verhaftet haben. Wie kann ich wissen, warum sie mich freigelassen haben?«

Parvana musste sich mit dieser Antwort zufrieden geben.

Wieder würde sich ihr Leben ändern. Sie war überrascht, wie ruhig sie war. Wahrscheinlich deshalb, weil ihr Vater zurück war.

»Wir werden sie finden«, sagte Parvana überzeugt. »Wir werden sie finden und mit ihnen nach Hause kommen!«

Mrs Weera wollte nach Pakistan. »Homa kommt mit mir. Wir werden dort Arbeit für sie finden.«

Sie wollten Kontakt mit den afghanischen Frauen aufnehmen, die sich im Exil organisiert hatten.

»Wo werdet ihr wohnen?«

»Ich hab eine Kusine in einem der Flüchtlingslager«, antwortete Mrs Weera. »Sie will schon lange, dass ich zu ihr komme und bei ihr wohne.«

»Gibt es dort eine Schule?«

»Wenn nicht, dann werden wir eine gründen. Das Leben ist sehr schwierig für Afghanen in Pakistan. Es wartet dort viel Arbeit auf uns!«

Parvana kam ein Gedanke: »Nimm auch Shauzia mit!«

»Shauzia?«

»Ja, sie will unbedingt weg! Sie hasst das Leben hier. Kann sie nicht mit euch gehen? Sie könnte eure Begleitung sein.«

»Shauzia hat ihre Familie hier. Willst du damit sagen, sie will einfach ihre Familie im Stich lassen? Die Mannschaft verlassen, weil das Spiel hart ist?«

Parvana sagte nichts mehr. Irgendwie hatte Mrs Weera Recht. Denn genau das tat Shauzia. Aber auch Shauzia hatte Recht. Hatte sie nicht das Recht, ein besseres Leben zu suchen? Parvana konnte nicht entscheiden, wer von den beiden mehr Recht hatte.

Einige Tage bevor sie nach Mazar aufbrachen, saß Parvana auf ihrer Decke auf dem Markt, da fiel etwas auf ihren Kopf. Es war ein winziges Kamel aus Perlen. Die Fensterfrau war immer noch am Leben! Es ging ihr gut, oder zumindest ging es ihr gut genug, dass sie Parvana zeigen konnte, dass sie noch immer da war. Parvana wäre am liebsten aufgesprungen und herumgetanzt vor Freude. Sie wollte laut schreien und zu dem schwarz gestrichenen Fenster hinaufwinken. Aber sie blieb ruhig sitzen und überlegte, wie sie sich von der Frau verabschieden konnte.

Sie war schon fast zu Hause, als ihr endlich eine Möglichkeit einfiel.

Als Parvana nach dem Mittagessen auf den Markt zurückging, grub sie vorsichtig ein paar wilde Blumen aus, die in einer Bombenruine wuchsen. Sie hatte solche Blumen schon in früheren Jahren dort wachsen sehen und hoffte, dass diese Art jedes Jahr neu kam. Wenn sie die Blumen genau an der Stelle einpflanzte, wo sie sonst ihre Decke hatte, würde die Fensterfrau wissen, dass sie nicht mehr zurückkam. Die Blumen würden etwas Schönes zum Anschauen für sie sein. Parvana hoffte, es wäre ein schönes Abschiedsgeschenk.

Auf ihrem Stammplatz auf dem Markt grub Parvana ein Loch in den harten Erdboden, zuerst mit den Knöcheln und Fingern, dann mit einem Stein, den sie auf dem Platz fand.

Männer und Jungen des Marktes sammelten sich um sie und sahen ihr zu. Alles, was vom Alltag abwich, war eine Unterhaltung.

»Die Blumen werden in dieser Erde nicht wachsen«, sagte jemand. »Die Erde enthält keine Nährstoffe!«

»Und selbst wenn sie wachsen, werden sie bald zertrampelt sein.«

»Der Marktplatz ist doch kein Ort, um Blumen einzupflanzen! Warum willst du sie hier pflanzen?«

Durch diese abfälligen Bemerkungen klang eine andere Stimme: »Hat keiner von euch einen Sinn für Natur? Dieser Junge versucht, ein wenig Schönheit auf unseren schmutzigen Marktplatz zu bringen. Und dankt ihr es ihm? Warum helft ihr ihm nicht?«

Ein alter Mann drängte sich durch die kleine Menschenansammlung nach vorne. Mühsam kniete er nieder und half Parvana, die Blumen einzupflanzen. »Wir Afghanen lieben Schönheit«, sagte er. »Aber wir haben so viel Schlimmes und Hässliches gesehen, dass wir manchmal vergessen, wie wunderbar schön eine Blume ist!«

Er bat einen der Teejungen, etwas Wasser von einem nahen Teegeschäft zu holen, und goss es um die Blumen; die Erde sog sich voll.

Die Pflanzen waren welk geworden. Die Stängel und Blätter hingen herab.

»Sind sie tot?«, fragt Parvana.

»Nein, nein, sie sind nicht tot! Sie schauen jetzt vielleicht schäbig und krank aus«, sagte der Mann. »Aber die Wurzeln sind gut. Wenn es Zeit ist, werden diese Wurzeln den Pflanzen neue Kraft zum Wachsen schenken!« Er strich noch einmal zärtlich über die Erde, dann halfen Parvana und ein anderer ihm beim Aufstehen. Der Mann nickte Parvana zu und ging weiter.

Parvana wartete bei ihren Blumen, bis die anderen sich verlaufen hatten. Als sie sicher war, dass niemand sie beobachtete, schaute sie zu dem Fenster hinauf und winkte einen Abschiedsgruß. Sie glaubte zu erkennen, wie jemand zurückwinkte.

Zwei Tage später brachen sie auf. Sie fuhren mit einem Lastwagen, wie die Mutter und die Geschwister.

»Reise ich jetzt als dein Sohn oder als deine Tochter?«, fragte Parvana ihren Vater.

»Das musst du entscheiden«, antwortete der Vater. »Aber in jedem Fall bist du meine kleine Malali!«

»Schaut, was ich hier habe!«, sagte Mrs Weera. Sie vergewisserte sich, dass die Luft rein war, und holte ein paar Kopien von Mutters Zeitschrift unter ihrer Burka hervor. »Ist sie nicht wundervoll?«

Parvana blätterte die Zeitschrift schnell durch, bevor sie sie wieder versteckte. »Großartig!«, sagte sie. »Wirklich wundervoll!«

»Sag deiner Mutter, dass die Zeitschrift an Frauen in aller Welt geschickt wird. Sie hat mitgeholfen, dass die ganze Welt erfährt, was in Afghanistan geschieht. Vergiss nicht, ihr das zu erzählen! Deine Mutter hat etwas sehr, sehr Wichtiges getan. Und sag ihr, wir brauchen sie hier für die nächste Ausgabe!«

»Ich werde es ihr sagen!«, sagte Parvana. Sie umarmte Mrs

Weera. Obwohl Mrs Weera und Homa Burkas trugen, konnte Parvana die beiden bei der Umarmung genau voneinander unterscheiden.

Es war Abfahrtszeit. Im letzten Augenblick tauchte Shauzia auf.

»Du bist doch noch gekommen!«, sagte Parvana und umarmte die Freundin.

»Leb wohl, Parvana!«, sagte Shauzia und gab ihr ein Päckchen getrocknete Aprikosen. »Ich werde auch bald weggehen. Ich hab Nomaden getroffen, die mich nach Pakistan mitnehmen, als Schäferjunge. Ich will nicht bis zum nächsten Frühling warten. Es ist mir hier viel zu einsam ohne dich!«

Parvana wollte nicht »Leb wohl!« sagen. »Wann werden wir einander wieder sehen?«, fragte sie in plötzlicher Panik. »Wie können wir in Verbindung bleiben?«

»Ich habe das genau geplant!«, antwortete Shauzia. »Wir treffen uns am ersten Frühlingstag, in zwanzig Jahren!«

»Sehr gut. Und wo?«

»Oben auf dem Eiffelturm in Paris. Ich hab dir doch gesagt, dass ich nach Frankreich fahre.«

Parvana lachte. »Ich werde dort sein!«, sagte sie. »Dann brauchen wir auch nicht ›Leb wohl!‹ sagen. Wir sagen lieber: ›Auf Wiedersehen!‹«

»Bis zum nächsten Mal!«, sagte Shauzia.

Parvana umarmte die Freundin ein letztes Mal, dann kletterte sie in den Lastwagen. Sie winkten einander zu, als der Wagen fortrollte.

In zwanzig Jahren, dachte Parvana. Was würde in diesen zwanzig Jahren alles geschehen? War sie dann noch immer in Afghanistan? Würde es in Afghanistan endlich Frieden geben? Würde sie wieder zur Schule gehen, in einem Beruf arbeiten, heiraten?

Die Zukunft streckte sich vor ihr aus, unbekannt wie die Straße, auf der sie fuhren. Irgendwo vorne waren ihre Mutter, die Schwestern und der Bruder. Aber was sie sonst noch erwarten würde, davon hatte Parvana keine Ahnung. Doch was immer es war, sie war bereit. Sie freute sich sogar darauf.

Parvana lehnte sich auf ihrem Sitz zurück, neben ihrem Vater. Sie steckte eine trockene Aprikose in den Mund und rollte das köstliche, süße Ding mit der Zunge hin und her. Durch die staubige Windschutzscheibe konnte sie den Mount Parvana sehen, dessen schneebedeckte Spitze in der Sonne funkelte.

Nachwort der Autorin

Afghanistan ist ein kleines Land in Mittelasien. Hier gibt es den Hindukusch-Gebirgszug, schnell fließende Flüsse und goldene Wüsten. In seinen fruchtbaren Tälern wuchsen früher Früchte, Weizen und Gemüse im Überfluss. Jahrtausendelang haben Eroberer und Entdecker Afghanistan als Tor zum Fernen Osten gesehen. In Afghanistan herrscht seit 1978 Krieg, seit die von den USA unterstützten Kämpfer sich gegen die von der damaligen Sowjetunion unterstützte Regierung aufgelehnt hatten. 1980 marschierten die Sowjets in Afghanistan ein, der Krieg eskalierte, beide Seiten kämpften mit Bomben und modernen Waffen.

Nach dem Abzug der Sowjets, 1989, brach ein Bürgerkrieg aus, als verschiedene Gruppierungen um die Macht im Lande kämpften.

Millionen von Afghanen flüchteten, viele von ihnen leben immer noch in riesigen Flüchtlingslagern in Pakistan und im Iran. Viele junge Menschen haben ihr ganzes bisheriges Leben in diesen Lagern verbracht. Millionen wurden getötet, verkrüppelt oder erblindeten.

In zwanzig Jahren Krieg wurden auch Straßen, Brücken und Wasserleitungen zerstört. Nur wenige Menschen in Afghanistan haben sauberes Trinkwasser. Alle Armeen legten Landminen in den Feldern aus, und es ist unmöglich, diese Felder zu bebauen und hier Nahrungsmittel anzupflanzen. Viele Menschen starben an Hunger und an durch Mangelernährung verursachten Krankheiten. Die Taliban-Milizen, eine afghanische Armee, eroberten im September 1996 die Hauptstadt Kabul. Sie erließen extrem restriktive Gesetze gegen Mädchen und Frauen. Mädchenschulen wurden geschlossen, Frauen durften nicht mehr arbeiten gehen und strenge Kleidervorschriften wurden erzwungen. Bücher wurden verbrannt, Fernsehgeräte zerschmettert, Musik in jeder Form wurde verboten. Seit damals haben die Taliban jedes Jahr weitere Gebiete des Landes unter ihre Kontrolle gebracht.

Anmerkung zur vorliegenden Taschenbuch-Ausgabe

Nach dem Anschlag auf das World Trade Center in New York am 11. 9. 2001 stürzten amerikanische Truppen und afghanische Rebellen die Taliban-Regierung.

Eine neue, demokratische Regierung wurde gewählt. Sie etabliert eine humane Gesetzesordnung, nach der Menschen nicht mehr grundlos verhaftet und hingerichtet werden dürfen, und sie versucht, das vom Krieg verwüstete Land wieder aufzubauen.

Frauen und Mädchen dürfen nun am öffentlichen Leben teilnehmen. Endlich können sie zur Schule gehen, medizinische Versorgung in Anspruch nehmen und sich außer Hauses eine Arbeit suchen. Allerdings hat die neue Regierung große Probleme, die tyrannischen Strukturen und die Bräuche der Terrorherrschaft, die sich unter den Taliban gefestigt haben, zu bekämpfen. Deswegen sind Frauen und Mädchen immer noch männlicher Gewaltanwendung schutzlos ausgesetzt.

München, im Februar 2003

Glossar

Burka: Ein bodenlanges, zeltartiges Kleidungsstück, das die Taliban allen Frauen zu tragen befohlen haben, wenn sie sich außerhalb des Hauses bewegten. Es bedeckt die Frauen zur Gänze und hat sogar über dem Augenschlitz ein schmales Drahtgitter.

Tschador: Ein Stück Stoff, eine Art langer Schal, den Frauen und Mädchen tragen, um Haar und Schultern zu bedecken. Mädchen tragen ihn auf der Straße.

Dari: Eine der beiden Hauptsprachen in Afghanistan.

Eid al-Fitr: Ein moslemisches Fest am Ende des Ramadan, des Fastenmonats.

Karachi: Eine Art Handwagen, der auch als Marktstand dient.

Kebab: Fleischstücke auf einem Spieß, über dem Feuer gebraten.

Landmine: Eine Bombe, die im Boden versteckt wird und die explodiert, wenn man darauf tritt.

Nan: Afghanisches Fladenbrot, manchmal lang, manchmal rund.

Pakul: Graue oder braune wollene Decke, von Männern und Jungen in Afghanistan als eine Art Mantel getragen.

Pashtu: Eine der beiden Hauptsprachen in Afghanistan.

Shalwar Kameez: Langes, loses Hemd und Hose, von Männern und Frauen getragen. Bei Männern einfarbig, mit Seitentaschen und einer Brusttasche. Bei Frauen in verschiedenen Farben und Mustern, oft mit kunstvoller Stickerei und Perlen geschmückt.

Sowjets: Bewohner der Sowjetunion vor deren Zusammenbruch, inklusive Russlands und anderer kommunistischer Länder.

Taliban: Mitglieder der früheren Regierungspartei in Afghanistan.

Toshak: Eine schmale Matratze, die in vielen afghanischen Haushalten als Sitzgelegenheit und Bett verwendet wird.

**Mitreißend – beklemmend – erhellend:
Eine Trilogie über die Wurzeln
des Antisemitismus**

Leonie Lasker, Jüdin – Die drei Zeichen
Band 1
420 Seiten, ISBN 978-3-570-40003-6

Leonie Lasker, Jüdin – Dunkle Schatten
Band 2
420 Seiten, ISBN 978-3-570-40004-3

Leonie Lasker, Jüdin – Welt in Flammen
Band 3
416 Seiten, ISBN 978-3-570-40020-3

5492/3

www.cbj-verlag.de